廃業の危機を味わって
本気で取り組んだ

人を大切にする
三方よし
経営

株式会社 八天堂 代表取締役
森光孝雅 *Takamasa Morimitsu*

モラロジー道徳教育財団

はじめに

「人生今日がはじまり、ここから挑戦」

これは私、森光孝雅が座右の銘として、いつも心に刻んでいる言葉です。

私が社長をしております八天堂は、広島県南部にある瀬戸内海沿いの町・三原で、昭和八年に創業されました。創業者の祖父から父へと受け継がれ、私で三代目になります。

私が修業先から故郷の三原に戻った二十代のとき、「町の和洋菓子店」から「町のパン屋さん」へと転換しました。今では「くりーむパン」の八天堂として、ご記憶いただいているかもしれません。

平成二十年（二〇〇八）に誕生した「くりーむパン」は、定番のカスタードから季節限定品、他社とのコラボレーション品も含め、これまでに累計一億個以上をお届けしてまいりました。とろける口どりの新感覚スイーツとして、シンガポールや香港、カナダなど海外でも好評をいただいております。

いつか三原から東京へ。そして東京から全国へ。日本から世界へ――。

来る日も来る日も夜明け前から厨房に入り、額に汗してパンを焼いていたあのころ、胸に秘めていた構想が今、現実になろうとしています。海外進出も果たし、食のテーマパーク構想の一端も形にすることができました。

ただ、それが自分の努力の成果だなどという思いは一ミリもありません。

一時は「おれはずっと自分一人の力で生きてきた」という、とんでもない思い違いから、自分を過信し周囲を責め、廃業の危機を招いた私です。社員や取引先、父や母、妻に弟夫婦……。多くの人に苦労を背負わせ、心配をかけました。頑張るほど人が離れていき、私自身も孤独を感じていました。

〝もう、自分はこの世にいないほうがいいのでは〟

そう思い詰めた時期さえあります。私の未熟さがすべての原因でした。

数万回の問いから生まれたもの

この人生の挫折、経営の失敗から学んだことが大きく二つあります。

一つは「テイク&ギブ」。

当時の私を振り返ると「ギブ&テイク」、つまりテイク（見返り）を期待してギブ（努力、行動）をするという考え方で、常に物事を判断していたように思います。報酬に見合う成果を出せない社員は、いつ辞めてもらっても構わない。そう考えていました。社員の幸せより自分の夢を先行させ、事業拡大の手段として社員を使っていたのです。うまく行くはずがありません。

そんな私がどん底を見て、自分がどれだけ社員やお客様、そして取引先の方々に支えられていたかを思い知りました。自分はすでにたくさんのテイクを受けていた、「先に受け取っていた」ことに気づいたのです。

与えられているものに感謝し、恩返しの精神で事に当たる。そう心を定めると、目に映る景色が一変しました。

もう一つは「信条」です。

何のために自分は経営をしているのか。誰の笑顔のために頑張っているのか。

再起に向けて何百回、いや何千、何万回と自問自答しました。

考えに考え抜いて、最終的に私の肚《はら》に落ちてきたのが、

八天堂は社員のために

お品はお客様のために

利益は未来のために

という三行から成る信条です。

「信条」とは固く信じて実践し続けること。

額に入れて社長室に飾っておくような〝きれいごと〟ではなく「森光孝雅は常

にこうあるために経営し続けます」という決意と行動を明文化したものです。今も口にするたびに「何があっても実践していかなければ」と、心が震えます。

あの失敗から得た学びなくして、今の私も、八天堂も存在しないでしょう。

人と社会、未来のための「三方よし」の実現を

長らく「食」にかかわる仕事をしていて、実感することがあります。

それは食べていただける方がいてはじめて、私たちの仕事は成り立つということです。当たり前のことのようですが、人は順風の中にいると周りが見えなくなり、足元の大切なことを見失いがちです。

買ってくださるお客様、フルーツやパンの原材料を供給くださる方々、商品開発や販売に協働くださる提携先の方々、八天堂を応援くださる地域の方々、工場で働いてくださる障がい者の方々、そして毎日元気に出社してくれる社員のみなさん……。

事業にかかわる、さまざまな方々の〝おかげ〟があって八天堂は毎日、お品をつくらせていただくことができます。

この感謝の心を忘れず、原点を忘れず、皆様に応援していただける八天堂となれるよう、私は「三方よし」の考え方を経営の基本においています。

自社だけが利益を独占するのでなく、事業にかかわる相手や第三者の利益・満足の実現もめざす「自分よし、相手よし、第三者よし」の三方よしです。

二〇二一年、八天堂は創業八十八周年を迎えました。かつての失敗を繰り返さず、人のため、社会のため、そして未来のために「三方よし」の精神でお役立ちし続けていけるよう、原点回帰の決意を込めてペンを執った次第です。

「八天堂とはどんな会社ですか」

そう尋ねられることが増えてきたことも理由の一つです。「くりーむパン」などのお品の説明だけでなく、そこに込める八天堂の思い、信条も世の消費者の方に知っていただけたら、という願いも込めました。

あわせてコロナ禍をはじめ、逆境に堪えておられる方々へ、私の経験が何がしかの参考となりますことを切に願っています。

廃業の危機を味わって本気で取り組んだ

人を大切にする三方よし経営

目次

第3章　八天堂の成長の源は「三方よし経営」……69

第4章 「三方よし」の人づくり ……… 109

装丁　加藤光太郎デザイン事務所

第1章

挑戦と失敗

―その中から見えてきたもの―

成功の陰にある失敗の原因

「孝雅《たかまさ》、人が育ってないのに店舗をどんどん出しとったら、必ず潰《つぶ》すぞ」

私がまだパン屋をやっていた二、三十代のころ、店舗を拡張するたび、父からこう忠告されていました。

もしあのころの私に、この言葉を多少なりとも聞く耳があったのなら……。

でも、無理でした。

当時の私は経営者としてあまりに無知で、未熟すぎたのです。

〝またいつもの小言か、うるさいな〟

聞く耳なんて一つもありませんでした。むしろ、父に反発し、自分から距離を置いていました。その結果、本当に店を潰しかけたのです。

その店「たかちゃんのぱん屋」は、パン職人の修業を終えた私が、故郷の広島県三原市に戻ってオープンさせた、焼き立てパンの店でした。平成三年（一九九

祖父・森光香が昭和８年、広島県三原市に創業した。長く愛される店をめざして地域に祀られるお堂「八天堂」から店名を決めた

一）一月、バブルがはじけて間もないころです。店の名前は、私の「孝雅」からとって「たかちゃんのぱん屋」と名付けました。念願の自分の店が持てる、そんなうれしさにワクワクしていたのを思い出します。

まだ二十六歳でした。

なぜ、その若さで自分の店を持てたのか、資金はどうしたのか、と不思議に思われる方もあるでしょう。

正直、お金の用意はできていませんでした。店の設計費用から厨房設備、初期の運転資金を含めて、千五百万円はかかる計算です。その開業資金は、銀行から借り入れました。

今も記憶にありますが、当時の金利が七・九パーセントです。低金利が当たり前の時代の若い方々は、思わず目を疑うかもしれません。お金を預けているだけで五パーセントぐらいは付く時代でした。

借りるほうは大変です。客単価六百円で一日百人はご来店いただかないと、予定通り返していくことはできないとわかり、背筋の凍る思いをしました。

それくらいのことは事前にわかりそうなものですが、正直言って私は、そんな金利を負担してまで自分で借金を背負うことになるとは思っていなかったのです。親がすべて世話をしてくれるものと思い込んでいました。

当時、私の父・義文《よしふみ》は、和洋菓子店「ラ・セーヌ八天堂」の社長をしていました。祖父・香《かおる》が始めた和菓子の店「森光八天堂」を継いでから、洋菓子も扱う店へと業態転換し、名前も洋風に改めていたのです。

修業先から三原に戻った私はまず、父のこの会社に入社しました。とはいえ、私はパン職人として修業してきたわけで、和洋菓子の店を継ぐつもりはありません。父はこれまでどおりの和洋菓子店を続けながら、私は別の場所にパンの店をオープンさせることになりました。

そんな経緯がありながらも、社長である父が開業の世話をしてくれるものと勝手に思っていたわけです。

しかし、いざ父に開業資金のことを尋ねると、こう言われました。

「いっぺん自分で銀行に行って借りてみろ。そういう経験も必要だ」

耳を疑いました。

〝えっ、こんな大事な場面で銀行までついてきてもくれないのか〟

急にドンと突き放された気がして、落胆を通り越し、ムカムカと腹が立ったのを覚えています。

〝よーし、もう親の世話になんかなるもんか。自分の力で切《き》り拓《ひら》いてやる〟

税理士の先生にイチから教えてもらいながら事業計画をなんとか書き上げ、取引のあった銀行に一人で向かいました。

すると、なんと千五百万円もの融資がすんなりおりたのです。

〝自分一人の力で、こんな大金を借りられたぞ！〟

有頂天になりました。

当然ながら、私の力ではありません。何の事業実績もない二十六歳の若者です。銀行がすんなり貸してくれたのは、祖父の代から堅実に菓子店を営んできた八天堂の信用に加え、実家の土地を担保に入れていたからでした。

祖父のおかげ、父のおかげです。

それに気づかず、全部自分一人の力だなんて勘違いするあたりから、すでに失敗の原因はつくられていたのかもしれません。

一方、思いがけず「たかちゃんのぱん屋」の出だしは絶好調でした。そんな成功体験が、私をますます調子づかせることになります。

オープン直後から大繁盛

いよいよ店をオープンして数日が経ったころでした。私が厨房で早朝からパンを作っていると、朝の四時ごろ〝コンコン〟と店の外のほうから音がします。目を向けると、半開きのシャッターのガラス扉を叩く音でした。

「どうかされましたか？」

驚いてコック服のまま対応に出ると、男性が立っています。

「パンがあったら、何かわけてほしいんですが」

前を通りがかったところ厨房の灯りに気づいて、店内に入って来られたようでした。とはいえ、まだ朝の四時です。油で揚げたパンしか出来ていません。それでも、ほしいとおっしゃるので、喜んでお売りしました。

すると翌日。またも朝の四時ごろ店に来られたのです。新聞配達をされている方のようでした。

「美味しかったから、また売ってもらえますか」

自分で作ったパンです。美味しいと言ってもらえるほど、作り手としてうれしいことはありません。

やがて、その方以外にも、揚げ立て、焼き立てのパンを求めて、早朝から訪ねて来られる方が三人、四人と増えていきました。いっそ店を開けてしまおうと、朝の四時から店内の照明をすべてつけ、お各様をお待ちしたことを思い出します。

日本一、朝の早いパン屋だったかもしれません。

早朝だけでなく、オープン直後からお客さんで店はあふれかえりました。次から次へと売れていきます。通常、厨房で焼き上がったパンは、鉄板から一つずつ販売用のトレーに移して陳列しますが、それでは間に合いません。

「熱いので、やけどしないでくださいね！」

そう言いながら、オーブンから出したパンを鉄板のまま棚に置いていました。それでも置いたそばからワッと手が伸び、なくなっていきます。そんな状況でした。すべての棚に商品が並んだことは、一度もなかったように記憶しています。

どうして、そんなに繁盛したのか。私自身、プロのパン職人として一切手を抜かずにパン作りをしていましたから、味には自信がありました。

それに加え、恵まれていたのが外部環境です。

まずは景気です。バブルがはじけた直後とはいえ、地方はまだ好況でした。次に競合がいなかったこと。当時、人口十万人ほどの三原市には、焼き立てのパンを売る店がほとんどなく、大手のコンビニエンスストアも進出していませんでした。つまり地域で朝早くから開いている焼き立てパンの店は「たかちゃんのぱん屋」だけ。地域の市場はほぼ独占状態でした。

さらに全国的な焼き立てパンのブームという追い風も手伝い、景気、競合、ブームという外部環境の〝三拍子〟が揃《そろ》っていたのです。

どんな品揃えの店にするかという商品ラインナップが、功を奏した面もあります。三原には、焼き立てのベーカリーは少なかったものの、アンパン、ジャムパン、クリームパンなど王道の菓子パンを扱う店があり、根強い人気を誇っていました。そこと同じラインナップでは、勝負になりそうにありません。そこで他店にはない、オリジナルのパンの開発に力をいれました。

例えば、エスカルゴを具材に使ったり、シシャモをトッピングしたり、中にくじをいれたパンも作りました。とにかく他がやっていない、ユニークでオリジナルなパンを作り続けたのです。

やがて、一風変わったパンを売る店があるとローカルテレビで立て続けに紹介されました。宣伝効果は絶大です。店は異常なくらいに繁盛しました。

オープン前に立てた、一日の客数百人以上という目標は軽々と超え、銀行借り入れの一千五百万円は難なく返済。返してもなお、売上げは右肩上がりです。手元にどんどんお金が残っていきました。

調子に乗って店舗を急拡大

すっかり調子に乗った私は、余剰資金を投じて、オープン三年目から多店舗展開に乗り出しました。三原に隣接する尾道市、東広島市、さらに中国地方でいちばん人口の多い広島市にまで。十年足らずの間に十三店舗へ急拡大しました。すべて焼き立てパンの工房付き店舗です。まさに〝怖いもの知らず〟でした。

急拡大する中で実際は、赤字に転落した初期の店はクローズしていたので、同時に存在したのは最大十店舗ほどです。赤字になるということは必ずそこに原因があるはず。きちんと振り返って分析、対策をしておけばよかったのですが、当時の私は糸の切れた凧《たこ》のようでした。

新しい店を出せば当然、売上げは増えます。どこかの店が悪くなったとしても立ち止まらず、さらに新規投資で店を増やし、トータルの収支をカバーしようとしていたのです。

平成七年（一九九五）には、父が和洋菓子店として経営していた店舗まで、パンの店に変えてしまいました。肩書は社長ながら、自分の店を失った父の出番はほとんどありません。取引業者さんとの交渉の中心は私になりました。やがて父と私が共に代表取締役を務める「ダブル代表制」としたものの、平成十八年には、私が一人で社長を務める形としました。なかなか首を縦に振らなかった父を、半ば強引に説き伏せた格好です。

「孝雅、職人が店を広げようとするな」

「人が育ってないのに店舗をどんどん出しとったら、必ず潰すぞ」

息子の暴走を止められるのは、親の自分しかいない。父はそんな思いだったのかもしれません。

そんな思いも露知らず、私は突っ走り続けました。

開業資金の相談をしたときに「一人で借りてこい」と突き放された悔しさ。

〝見てろよ、いつか父の店を超えてやる〟

そんな思いをずっと持ち続けていたように思います。実際に売上げも利益も店舗の数も、父の店の何倍も大きくすることができた。一軒しかない小さな店で細々と商売している父に、とやかく言われたくなんかない――。

心のどこかで、父を見下すようになっていました。

事業を拡大させる前に人を育てろ、そう言われても納得もできませんでした。むしろ、うちの社員は日本一の職場環境で働いている。何が足りないというのか？　そんな思いだったのです。

幹部社員が競合店にまさかの転職

店が繁盛し、その名が知られるようになると、パン職人を夢見る若者たちが「ここで働きたい」と集まってくるようになりました。店舗が増えた分、現場の人手の確保も必要です。社員、スタッフが年々、増えていきました。

パン職人は、苦労が多い仕事です。朝は早く、立ちっぱなしで、パンをこねたり、原料を運ぶのも重労働。頑張ってくれる社員、スタッフにはできるだけのことをして応えてあげたい。そんな思いから、待遇や福利厚生はとにかく手厚くしていました。

例えば、有給休暇の消化率は九〇パーセント以上。一年間に付与された有給の、ほぼすべてを使って休みを取れているということです。

また時間給も高く、広島県下では断トツでした。全国で最も水準の高い東京の上位クラス並みの賃金を支払っていたのではないでしょうか。それ以外にも、ありとあらゆる表彰制度をもうけたり、会社負担の社員旅行を行ったりと、至れり尽くせりでした。

〝広島一、いや日本一快適な職場環境を実現している〟

そう胸を張っていました。まだ「ホワイト企業」「ブラック企業」という言葉自体、社会に普及する前の話ですが、制度的にはホワイトなことをやっていたように思います。

当時は、待遇や福利厚生をよくすることこそが、社員を大切にすることだと思い込んでいました。もちろん、それも大切ですが、肝心のトップである私との相互の信頼関係、会社への愛着、思い入れといったものがきちんと高まっていたのかどうか……。

そこが欠けていたことを如実に表すような出来事が、その後、立て続けに起こることになります。

一号店をオープンしてから、十年が経とうとするころでした。

通算十四店目となる新店舗は中国地方を飛び出し、私がかつて修業をした地、神戸・三宮に出す計画でした。その新店の店長として見込んでいた幹部社員と、毎晩のように話し合いを重ね、夢を語り、いよいよ店の新設工事に入ろうかというころの話です。

「社長、話があります」

その彼が突然、話を切り出しました。顔色がさえません。

「……どうした?」

尋ねると、思いもしない言葉が返ってきました。

「辞めさせてください」

　突然の申し出にとにかく驚きました。そんなそぶりは一切見せてこなかった彼です。こんなタイミングで辞めたら、新店舗はどうなるのか。

「ちょっと待て。昨日まで一緒にこれからの夢を語っていたじゃないか。何の相談もなしに、いきなり〝辞めさせてくれ〟はないだろう」

　言葉を尽くし、時間をかけて、なんとか思いとどまるよう説得を試みました。しかし、一向に首を縦に振りません。

　いったい辞めてどうしたいのか、問い詰めました。すると、なんと同業のライバル店に転職するというではないですか。

　〝裏切られた〟、そう思いました。

「もういい、出ていけ！　二度と来るなよ」

　去り行く彼の背中に、そんな罵声《ばせい》を浴びせたのを思い出します。

　あまりのショックと怒りで、完全に我を忘れていました。自分のいたらなさに思いをいたす余裕などありません。彼の穴をどう埋めるかで頭がいっぱいでした。

悪い流れは続くものです。数日もしないうちに、今度は別の店の店長二人が連れ立って「僕らも話があります」とやって来ました。

「おいおい、嫌な話はやめてくれよ」

そう言わずにはおれないくらい、次に来る言葉が容易に想像できました。なぜ、そう簡単に辞めるなんて言えるのか。店を預かる責任者だろう。お前らについてきたスタッフはどうする気だ。いいかげんにしろ――。

もう腹が立って腹が立って、彼らの無責任ぶりを声を荒げて叱責《しっせき》しました。するとたまりかねたのか、その場にいた別の社員が突然、ボン！　と机をたたいて、私にこう迫るのです。

「社長こそ、もういいかげんにしてほしい。われわれのことをどう思っているんですか。職場環境はもうむちゃくちゃですよ！」

思いがけない反論に、返す言葉がありませんでした。

一時は〝日本一の職場環境〟を自負していたものの、業績の悪化を受けて現場の負担が増え、ブラック化していたのです。薄々気づいてはいましたが、その現実を認めたくはなかった。なんとか起死回生の新店舗で増収増益が実現できれば、みんなを楽にしてあげることができるはず――。しかし、そんな淡い目論見《もくろみ》が通用しないほど、現実の経営環境は悪化していたのです。

事故そして幻聴

「たかちゃんのぱん屋」を始めた平成三年ころに比べ、景気は全国的に底冷えに。さらに二十四時間営業の大手コンビニエンスストアの進出で「早朝営業」の優位性はなくなり、工房付きのパンの店が他にも増えたことで「焼き立ての美味しさ」というアドバンテージも消滅。追い風だった外部環境が、〝向かい風〟になっていたのに気づけず、対応できていませんでした。

そうなると売上げ、利益ともにどんどん下がっていきます。挽回のためと現場に負荷がかかって休みが減り、残業が増えていきました。余裕がないので人の補充もままなりません。苦しい状況なのはわかっていましたが、私自身、休み返上で長時間働いていたので、社員も同じようにしてくれるものだと勝手に思っていたのです。

当然、それは〝思い込み〟でした。

ある店長から電話が入って指定の場所に行くと、集まっていたその店の全従業員から、日ごろの不平不満をこれでもかとぶつけられることもありました。彼らにとって私は、自分たちを酷使する悪魔のように映っていたようです。

要《かなめ》の店長が一度に何人も抜けたことで、営業できない店も出てきます。赤字を出し続ける店舗は閉じるしかなくなりました。給料も家賃も、パンの材料費も払う余裕がない状況です。当然、現地採用したその店の社員、パートさんとの雇用関係も終えざるを得ません。みなパンが好きで、店が好きで、一緒に頑張ってきた仲間たちです。辛い、辛い判断でした。

店は賃貸でしたので、退去するにも改装部分を原状復帰しなければならず、出費がかさみます。銀行からの借入金が増え続けました。返済のためには、残りの店舗で、少しでも売上げを上げていかねばなりません。

とはいえ、残りの店舗も問題を抱えていました。職人が辞めてしまい、販売するパンを作れない店が出てきたのです。パンがなければ店の営業ができません。そこで私が夜のうちに各店を車で回り、一つの店でパンを焼き終えたら、また次の店に移動してパンを焼く……ということを繰り返すようになりました。

家に帰っている時間などありません。着た切りの汚れたコック服のまま、店の駐車場に止めた自家用車で仮眠をとっては体を奮い起こし、各店を巡回していました。

そんなことを続けていれば、さすがに二十代の若い体も悲鳴をあげます。睡眠不足でボーっとしたままハンドルを握っていたある晩、ボーンと何かに衝突しました。エアバックが飛び出し、口の中は血だらけ。脳震盪《のうしんとう》を起こして、意識が飛びました。物損事故で、誰も傷つけることがなかったのは不幸中の幸いです。一歩間違えれば命を失いかねないレベルの事故でした。

警察を呼びはしたものの、頭の中はパンを焼かねばならない店舗のことでいっぱいです。現場検証が終わるや病院にも寄らず、すぐに次の店舗へ走りました。

〝店を開けなかったら、会社が終わってしまう!〟

そんな強迫観念にただただ、突き動かされていたように思います。

精神的に相当追い込まれていました。たまに帰宅して床に入っても、何かに襲われるような恐怖感で、部屋の電気を消すことができないのです。

「ここの社長は悪いやつで、みんなを困らせているんだ」

ようやくウトウトすると、そんな小学生の集団の声が外から聞こえてきました。時計を見ると、深夜の二時です。小学生がいるはずがありません。でも、確かにこの耳に聞こえるのです。

「おい、聞こえないか」

隣で寝ている妻に尋ねても首をかしげるばかり。しまいには「頼むから、病院へ行って」と懇願されました。幻聴だったのでしょう。

でも、病院になど行っていられません。取りつかれたように店を回り、パンを焼きまくっていました。

銀行からも見放されて

そんな状況を続けながら、一、二年はギリギリ倒産せずに持ち堪えていました。しかし平成十三年（二〇〇一）になると、ピーク時に四億円あった売上げがとうとう半分に。〝債務超過〟の状態に陥り、借入金を返せる見込みが立たなくなってしまったのです。

そんなある日、メインバンクから電話が入りました。

「森光社長、あとで当行までお越しいただけますか」

ただならぬ雰囲気です。コック服姿のまま銀行へ行き、支店長室に通されると、いつもの担当者とは違う、こわもての融資担当次長が待っていました。

「森光社長、今の状況がおわかりですか？」

「……はい、わかっています」

「当行としては、これ以上の追加融資はできません。ご了承ください」

えっ、お金がもう借りられないということか。これから、どうしよう……。半ば放心状態で部屋を出ようとした瞬間、背後から声がかかりました。

「社長、明日なんとか都合をつけてください。一緒に行くところがあります」

有無を言わさぬ雰囲気でした。こちらの仕事の都合さえ聞かれません。

翌日、担当者の車に乗せられましたが、肝心の目的はわからないままです。着いたのは、見知らぬ弁護士事務所でした。

「社長はパンが作れるのですか」

机に向かい合って座るや否や、弁護士がこう質問してきました。

「はい。私はパン作りしか取り柄がありませんから」

「では、この書類に目を通しておいてください。この方向で検討しますから」

目を落とすと、**それは民事再生法と破産手続きに関する書類でした。**

ハンマーで殴られたように、目の前に星が飛びました。まだ何とかなると思って、必死にやっていた最中です。まさか銀行に見放され、破産の手続きまで求められるとは、夢にも思いませんでした。

〝本当に潰れるんだ……。うちの会社〟

それからどうやって三原まで戻ったのか、よく覚えていません。

帰ってから父に話すと、それはこっぴどく叱られました。

「わしの言うことを聞かないから、こうなったんだ！」

忠告を無視して突っ走った挙句《あげく》、祖父から続く八天堂を私の代で潰そうとしているのです。何を言われても仕方ありません。

ただ、厳しく叱責しながらも父は、「ずっと前から危ない経営をしていると心配していた。もっと早くお前を止められなくて悪かった」とも言ってくれました。あまりにも顔色を失った様子を見て、私がみずから命を絶つのではないかとさえ思ったようです。

絶望から救った一本の電話

もう終わりだ……。そう思っていた矢先のことでした。

「社長、弟さんから電話が入っています」

店舗の厨房でパンを作っていた私のところに、受話器を持ったスタッフが駆け込んできました。

私と同じパン職人の道を選んだ三学年下の弟は結婚後、奥さんの実家に近い栃木県宇都宮市に移住。そこでパンの店を開いていました。仕事柄、昼間にわざわざ電話をかけてくることはめったにありません。

「久しぶりだな。どうした。何か用事か？」

「兄さん、お父さんから聞いたけど、お店の経営が大変らしいな」

父が弟に話をしていたことは知りませんでした。

「あのな兄さん、怒らずに聞いてほしいんだけど。僕の貯金から二千万円くらいなら貸せるから、それで店の立て直しを図ったらどうだろう」

絶句しました。

突如、救いの神が目の前に現れたかのようです。と同時に、そこまで弟に心配をかけてしまっていた情けなさを感じ、胸が痛みました。

一個百円のパンを売る商売をしながら、一千万円を貯めるのがどれだけ大変か。同じ仕事だからよくわかります。それが弟の全財産であることも容易に想像がつきました。私が店を倒産させたら、そのお金は返ってこないかもしれません。それも覚悟のうえで電話をしてくれたのでしょう。

弟には二人の幼い子供がいます。奥さんに謝ろうと思い、電話を代わってもらったものの、思うように言葉が出てきません。

「頑張って乗り切ってください」

彼女の優しい言葉に、胸が詰まりました。私は弟に、半分の一千万円を貸してくれるよう頼み、受話器を置きました。

一千万円の運転資金があれば、まだしばらくは延命ができます。〝弟がくれたこの猶予の間に打開策を考え、経営を立て直そう〟。家族の有難さをしみじみかみしめながら、心にそう誓いました。

この弟の一件を機に起きた変化がもう一つあります。反発し、距離を置いていた〝父〟に対する私の思いです。

そもそも父が弟に、店の状況を話してくれたからこそ、借りることのできた一千万円でした。忠告を一つも聞かずに突っ走り、会社を潰そうとしているバカな私を見捨てず、思いやってくれていた父。あんなに優しい弟を立派に育て上げた父……。時間が経つにつれ、はるかに及ばない人間の大きさを感じ、ふつふつと尊敬の念が湧《わ》いてきました。

一度、そうして思いを向けると、心の奥底から父との思い出が走馬灯のごとくあふれ出てきます。

道に迷って行方不明になった小学二年生のときのこと。消防、警察の捜索のおかげで発見され無事に家に戻ると、父も母も私を見るなり、

「孝雅！　生きとってよかった」

ギュッと抱き締めてくれました。そのときの親のぬくもり。思えばどんなに忙しくても運動会や授業参観日には必ず来てくれていたっけ。

どれだけ自分が父に愛され、温かく育ててもらってきたか。そのとき、初めて

気づきました。泣けて泣けて、涙が止まりませんでした。

そんな親に対して、一度も心の底から「ありがとう」を言ったことも、心から謝ったこともない私です。すぐに親に謝ろう。そう思い立ち、すぐさま実家に向かいました。

到着すると、すでに両親はそろって私を待ってくれていました。いざ親を前にして謝ろうとしても、感情があふれて言葉になりません。すると父親が目にいっぱい涙をためて、私にこういうのです。

「孝雅……死ぬなよ。死ぬなよ。つらいだろ」

思わず、父の足元に泣き崩れました。

そうして倒れ込んだ私の背中と足を、父と母が一生懸命にさすってくれるのです。赤子へ戻ったように泣きじゃくりました。死のう、死んでしまいたい。そんな思いで冷えきっていた私の心が、両親の手のぬくもりで少しずつ温められていくのを感じました。

これまで自分一人の力で生きているように思い込んでいた。でも、それは違う。

この両親の思いを受けて、自分は今日まで〝生かされて生きていた〟ということを心の底から実感しました。

だとすれば、私の命は、私だけのものではありません。

「このまま死んではいけない」

「前を向いて、立ち直らなければ」

絶望の淵にあった私の心が、息を吹き返し始めました。

神様、もう一度だけ

そこから再起を図るうえでは、銀行の理解も必要でした。こちらがいくら思いをもったとしても、銀行が破綻は不可避と判断すれば、倒産させられてしまいます。申請書類まで手渡された私でしたが、その後なぜか、具体的な手続きが進むことはありませんでした。

その銀行は、お店からすぐ近くにあったこともあり、昔からいつもパンを買いに来てくれていました。経営に無知な私でしたが、美味しいパンを作ろうと懸命に努力していることは理解してくれていたのでしょう。どうやら本気で倒産させようとしたのではなく、私に危機感を抱かせる〝ショック療法〟として「融資を止める」と言ったり、弁護士に会わせたりしていたようなのです。

実際、弁護士事務所に連れていかれた後、銀行からしょっちゅう呼び出されては、損益計算書や貸借対照表の読み方を徹底的に叩き込まれました。融資を受けるために、どんな事業計画を立てなければならないか。そんなことまで懇切に教えてくれるのです。時に厳しい姿勢を見せながらも、本音ではどうにか店を立ち直らせようと計らってくれていたのでした。

怖いもの知らずだった絶頂から一転、坂道を転げるように落ちた〝どん底〟。そんな絶望の淵で触れた家族の愛情、そして銀行の計らい……。人の心の温かさに触れ、私の中で何かが大きく変化していくのを感じました。それまで引きずっていた、体中の余計なものが全部はがれ落ち、精神が研ぎ澄まされていくような不思議な感覚です。

もう一度、やり直したい。やり直して、お世話になったすべての方々に恩返しをしたい――。強い気持ちが湧いてきました。

〝神様、もう一度だけ私にチャンスをいただけませんか〟

何度、念じ続けたか知れません。

そこから今に続く八天堂の〝第二の創業〟がスタートしました。

第2章

私の「夢」から公の「志」へ

会社は何のために存在するのか

令和三年（二〇二一）現在、八天堂で働く社員は百名を超えています。その全員が手帳のように持ち歩き、仕事に活用しているのが『HATTENDO　BOOK』という小冊子です。

八天堂という会社が何のために存在するのか、何のために組織され、自分たちが達成したいものは何か――。

それらを言語化した経営理念や信条（クレド）、社是社訓、ビジョンなどを一冊にまとめました。**社内では通称「クレドブック」と呼んでいます。**ラテン語で志、約束、信条を表す「クレド」。その企業で働く全従業員が大切にする価値、行動指針などを指します。

〝不易流行《ふえきりゅうこう》〟という言葉があります。不易とは、いつまでも変わらないもの。

［第2章］ 私の「夢」から公の「志」へ

流行とは、時代の変化に合わせて新しく変えていくものです。このうち「クレドブック」に書かれてあるのは「不易」にあたる事柄であり、事業の〝やり方〟にあたる戦略や方針、予算計画などの情報は記載していません。

経営を持続させるうえで〝やり方〟はとても重要です。しかし、そこに目が行き過ぎると「売上げが取れるかどうか」「投資が回収しやすいかどうか」といった基準ばかりで物事が判断されがちです。そうなると結局、売上げを増やし、事業を拡大させることが目的化され、社員は道具のように働く状況になりかねません。

人の成長より事業の拡大を優先させれば、いつか必ず行き詰まる――。このことを私は「たかちゃんのぱん屋」の失敗で身をもって学びました。

ここがブレないよう、社内の会議や打ち合わせの際には「クレドブック」を持ち寄り、原点を確認してから本題に入るようにしています。

この冊子の冒頭にあるのが、八天堂の「信条」です。

八天堂は社員のために
お品はお客様のために
利益は未来のために

クレドブックが完成したのは平成二十二年（二〇一〇）です。しかし、この信条と経営理念（よい品、よい人、よい会社つくり）は、もっと以前のそれこそ弟の一千万円を元手に事業立て直しに挑戦していたころ、私の中で形作られていました。

私にもう一度だけ、やり直すチャンスをください――。

あのとき、倒産寸前のどん底から立ち上がるべく、私は念じ続けました。やり直すとは単に事業の再挑戦という意味ではなく、人の役に立つ仕事、人を喜ばせる仕事ができる自分になれるよう、もう一度人生をやり直したい、そんな思いでした。

美味しいパンで周りを笑顔にしたくて始めたはずなのに、頑張れば頑張るほど、家族も社員もお客さんも、どんどん悲しい顔になっていく。いっそ私が存在しないほうが、みんな幸せになれるんじゃないか。そう思い詰めて身も心も追い込み、命すら失いかけました。

「三方よし」という言葉をご存じでしょうか。

自分がよくなるだけでなく、社員やお客様、お取引先など、事業にかかわるステークホルダー（利害関係者）全体が満足し、笑顔になることをめざす考え方です。

当時の私の経営を振り返ると、家族や社員を悲しませ、お客様や銀行、取引業者に迷惑をかけたうえに、自分自身も傷つけていたわけですから、「三方悪し」です。どれだけ美味しいパンを作る技術があったとしても、ステークホルダーの幸せに役立てない事業は、瞬間的に成功を収めたとしても、やがて市場から淘汰されるでしょう。

なぜ、私の事業は「三方悪し」になってしまったのか。今、考えれば原因は明らかです。私自身に「何のために」がんばるのかという事業の目的、経営の拠り所となる〝座標軸〟が欠けていたからです。考え方の基準と言ってもよいでしょう。

もちろん、その基準が「自分のため」になるかどうかでは、座標軸とは言えません。自分の満足や幸せのために相手を利用しよう、周囲を変えていこう。そんな考え方では誰からも信頼も応援もされず、事業が行き詰まり「三方悪し」となってしまうからです。

この〝何のために〟をよく考えないまま、なんとなく事業を始め、自分の夢を先行させせた私は、まさにその典型でした。

よきブランドとは

同じ失敗を二度としないように、私は自問自答しました。いったい自分は、何のために経営をするのか。誰をいちばん喜ばせる会社になったら「三方よし」になるのか――。父と話をしては書き、書いては消し、おおげさでなく何千回、何万回と自分に問い続けました。

そこで最後に浮かんだのが「八天堂は社員のために」という言葉です。

今もこの信条を読み上げると、思い出す女性社員がいます。もう退職して八天堂にはおりませんので、A子さんとしましょう。パンが大好きなA子さんは、いつかパンの店を開きたいという夢を描き、高校を卒業後すぐに八天堂へ入社してくれました。それは、既存店の売上げが落ち始め、現場がブラック化しはじめていたころです。

「社長、A子さんですが朝から来ていません。連絡も取れない状況です」

入社から三か月ほど経ったころでしょうか。彼女が働く店の店長から私に第一報が入りました。

あわてて店に行ってみると、商品棚には彼女が手作りしたポップなどがたくさん飾ってあります。どれだけ彼女がパンに愛情を注いでいたのかがよくわかりました。聞くと休憩もろくに取らず、昼食は小麦粉の粉袋の上に座ったまま。帰宅途中にはみずからスーパーマーケットに寄り、新商品のパンの包材を探して提案してくるような働きぶりだったそうです。

店の経営が大変な時とはいえ、新入社員がここまで身を削って働かねばならないのか。言葉がありませんでした。

その日の夜九時ごろ、家に帰ると私宛に電話がありました。A子さんのお父さんからです。

「ちょっと来てくれないか」

たいへん厳しい口調です。お宅へ着くなり、挨拶もそこそこに「社長、そこへ座りなさい」と言われました。

「社長、うちの娘に今、どういったことをしているのかわかっているか。いや、うちの娘だけじゃないぞ。お宅の社員、みんなだ。無茶苦茶じゃないか」「うちの娘は小さいときからパン屋になるのが夢で、お宅に入ったときは家族みんなで心から喜んだ。うれしかった。それが、どういうことだ。もう仕事に行きたくないと言って、部屋から出てこなくなってしまった」

ただただ頭を下げて聞いていました。最後の言葉が忘れられません。

「娘の人生をどうしてくれるのか！」

私にも娘がいます。もし私がA子さんのお父さんだったら、もっと厳しく言っていたかもしれません。私は、彼女が温めてきた夢を壊しただけでなく、その心まで壊したのです。自分は何てことをしてしまったのか。自分が情けなくて、泣けてきました。しかし、どうすることもできません。店もギリギリ、私もボロボロでしたから。

こんな別れが、ほかにもいくつかありました。パンが好きで入ってきた社員が、失意の中で八天堂を去っていったのです。

残ってくれた社員も、欠員を埋めるために二倍、三倍と働かねばならず、労働環境はさらに悪化しました。無理に無理を重ねれば当然、ミスが多くなります。クレームが増え、店への不信感がますます広がっていきました。

この失敗から私は、**お客様を喜ばせようと思ったら、まず社員を喜ばせないとダメだということに気づきました。**

いい商品さえつくれば、一時的にお客様を喜ばせることは可能でしょう。

経営の目的を文章化した信条の１行名は「八天堂は社員のために」。社員が仕事を楽しみ、ベストを尽くせる環境をつくるために会社がある

しかし、お客様に「愛され続ける」店になれるかは別問題です。

この本をお読みの方々の周りにも、長く愛され続けるお店が、一つはあるのではないでしょうか。いい商品があるお店、サービスがいいお店。そうした特徴のほかに、そこにはきっと「いい出会い」があるはずです。

いつものあの笑顔、話すとなぜか元気になれる店員さん。そういう人との出会いです。「あなたの商品なら買いたい」「あなたの会社なら信頼できる」。そんなふうにお客様に「なら」と言っていただけるような社員がいる店は安泰です。きっと愛され続けるでしょう。そうやってたくさんの人に愛される社員のやりがい、働きがいはきっと大きいはずです。

「八天堂は社員のために」の「社員のために」とは、単に待遇や福利厚生をよくするということだけにとどまりません。社員全員が心からやりたい仕事を楽しみ、モチベーション高く、ベストを尽くせるような最高の環境をつくる。そのために会社という組織、システムが必要なのであり、間違っても会社のために社員がいるのではありません。夢を壊して八天堂を去っていった、あのA子さんのような社員を二度とつくってはならない――。苦い反省が今につながっています。

娘を、息子を八天堂に託してよかった。そのように親御さんに安心していただける会社にしなければ、と思っています。

子供のよき成長を願わない親はいません。私も含めて全社員が、仕事の中でよき成長を遂げられるよう、八天堂では次のような「人としての基本理念」を掲げています。

「貴方《あなた》と出会えてよかったと、一人でも多くの人に言ってもらえる人となり、よりよき未来へとバトンをつなげていく人となる」

こんな人間を一人でも育てること、社員と共に成長していくことが私の願いであり、使命だと思っています。

「くりーむパン」イノベーション

「八天堂は社員のために」に続く、信条の二行目は「お品はお客様のために」です。仕事を心から楽しみ、物心両面で満たされた社員が力を合わせることで、すばらしい商品＝「お品」が出来上がります。「お品」は一〇〇パーセント、お客様のためにあります。これは「一〇〇パーセントお客様のために」という思いを込め、ベストな「お品」をつくるということです。

当たり前なことを言っているように思えますが、これが簡単なようで簡単ではありません。「お客様のために」と言いながら、つい自分たちのつくりたいものをつくったり、思いの込もらないお品ができてしまうこともあります。そうなれば当然、お客様は離れていきます。

「たかちゃんのぱん屋」のとき、ほかにない独創的なパンを作ろうと、数えきれないほどの新商品を開発しました。どれも最初は面白がって話題になりますが、奇をてらったものは一時的に売れても、長続きはしません。一風変わったという程度のアイデア商品では、すぐに競合に真似されてしまいます。

店の立て直しを模索していたとき、とあるスーパーの方のご意見をきっかけに、地元素材を活《い》かした天然酵母の袋詰めパンを作り、スーパーに卸す事業を始めました。当時のスーパーには、大手パンメーカーの袋詰めパンしかなかったのです。この新たな取り組みが当たり、業績は急回復。弟からの借金も完済できました。

しかし、この卸売事業も三年ほど経つと、少しずつ売上げが落ちていきました。ほかのパン屋も同じことを始めたのです。特に資本力が違う大手のパンメーカーの参入は脅威でした。みるみるうちにシェアを奪われました。

次の一手が必要です。

とはいえ、奇をてらった商品で勝負しても、また同じ轍《てつ》を踏《ふ》むことになるかもしれません。できることを着実にやろうと思い、お客様がどんな商品の選び方、買い方をされるのか「消費行動」を調べてみました。

そこで気づいたのは「目的買い」をする人の増加です。つまりお店でたまたま目に入った商品を「ついで買い」するのではなく、「あの店のカレーパンが好きだから、買いに行く」というように、最初からお目当ての商品を決めて買い物をするのです。私はそこから、商品のバリエーションを広げるのはやめ、一品を専門に扱う業態を思いつきました。いわば、ピーター・ドラッカーの「選択と集中」です。

問題は、どの一品に集中するかです。ヒントを求めて研鑽《けんさん》を重ねる中で、目からウロコの落ちるような本に出会いました。ヨーゼフ・シュンペーターのイノベーション理論です。

「〝あるもの〟と〝あるもの〟が結びついたとき、イノベーションが生まれる。その〝あるもの〟とは、どちらもスタンダードなものである」

私なりにこう解釈しました。パンの世界でスタンダードな品といえば、あんパン、メロンパン、ジャムパンなどでしょう。ここからさらに思案した結果、定番の「クリームパン」と食感としてスタンダードな「口どけのよさ」という二つを結びつけることにたどりつきました。

そこで誕生したのが、現在も好評いただいている「くりーむパン」です。

今や八天堂の代名詞となった「くりーむパン」。何度食べても飽きないよう、味にインパクトを出すリキュール類やバニラエッセンスは一切加えない。非常識な「引き算」発想がイノベーションとなった

単品勝負で巨大市場・東京へ

「くりーむパン」は平成十九年（二〇〇七）から試作販売をはじめ、平成二十年六月に完成しました。開発に一年六か月を要したわけです。

一品に絞ろうと決心したときから、この商品は三原や広島ではなく、東京で勝負したいと思っていました。当然、東京には全国から一流の商品が集まります。そこで勝ち抜き「目的買い」で選ばれるには、東京に二つとないこと、そして〝真似をされない、真似できない〟ことが不可欠と考えました。

そのため、細部に至るまで徹底的に〝手作り〟にこだわることが必要だったのです。生地を練る、成型して焼く、カスタードクリームを炊いて生クリームなどと合わせる……。そのほとんどの工程に加え、出来上がったお品一つ一つをすべて手包みしました。

そうして翌平成二十一年（二〇〇九）一月、東京都北区の東十条商店街でテスト販売をしたところ、用意した五十個が一時間もせずに売り切れ。数を増やした翌日以降も完売となりました。一か月後には、大手百貨店の購買担当者から「うちで販売させてもらえないか」と声がかかったのです。〝これはいける〟と感じました。

いざ本格的に販売するにあたって、悩ましかったのは〝値決め〟です。広島でテスト販売した際の価格は税別百六十円でした。東京の店頭で売るには、三原から「くりーむパン」を空輸する輸送コストもかかります。ある程度は値段を上げなければなりません。

そこで一般の方に試食いただき、いくらだったら購入するかを回答いただくモニター調査を行いました。そこでいちばん多い答えが「二百円」だったのです。これには驚き、そして悩みました。いくらユーザーの声だとしても、それまで百六十円で売っていたものを、いきなり四十円も上げていいものか。

いくら食べておいしくても値決めを間違い、割高感が感じられれば市場に受け入れられません。いったん発売した値段を、メーカーの都合で上げたり下げたりすると不信を買ってしまうでしょう。とはいえ、会社として商品開発にかかった投資コストや製造原価をきちんと回収できる値決めにしないと、利益が確保できず、いずれ行き詰まることは目に見えています。

お客様や販売会社が満足し、またメーカーである私ども八天堂も満足できる〝三方よし〟の値段はいくらなのか。

あらゆる角度からシミュレーションし、選択肢が出揃ったら、最後は経営者である私が肚を決めて判断するしかありません。

最終的に「一個二百円」で売り出すことに決めました。これにより五個入り千円という、わかりやすいパッケージ価格も実現でき、「パンの手土産需要」という新たな市場を掘り起こすことにつながりました。

利益は「未来のために」

「八天堂は社員のために」「お品はお客様のために」に続く信条の最後は「利益

は未来のために」です。

もしあのとき、「くりーむパン」の値決めを百六十円としていたら、ヒット商品になったとしても利益が確保できず、会社は立ち行かなくなっていた可能性が高いです。そうなれば結局、お客様や取引先、そして何より社員とその家族に多大な迷惑をかけていたでしょう。そうならないためにも経営者には、〝利益にこだわる〟という強い意志が必要だと思っています。

事業経営は、投資と回収の連続です。

よい商品、よいサービスを生み出すために投資をした分、売上げ、利益として回収ができなければ、赤字は避けられません。赤字が続けば投資をする原資がなくなり、お客様のためにお品を改善したり、新商品を開発したり、また社員の成長を図ることもできなくなってしまいます。

時代の変化に対応できない企業は、生き残ることができません。つまり、未来を築くためには、適正な利益を得ることが絶対条件となるわけです。その意味では**利益があって初めて、社員よし、お客様よし、取引先よし、そして未来よしを**

実現できると言ってもいいでしょう。

ここでもう一つ重要なことがあります。得た利益を何のために使うのか。利益の「儲け方」も大事ですが、それ以上に利益の「使い方」に私はこだわっています。

かつて「たかちゃんのぱん屋」が絶好調のころ、会社名義で外車を買い、毎日乗っていました。その車で各店舗を回ったり、仕事で使うこともあったとはいえ、これは森光孝雅の自家用車です。完全な公私混同でした。今では自家用車は必ず自分の収入の中から買ってはいますが、当時のそんな私の振る舞いに、不快な思いをしていた社員がいたかもしれません。会社をまるで〝自分の所有物〟であるかのように勘違いしていたからこそ、平気でそんな使い方をしてしまっていたのでしょう。

利益の使い方には、経営者の考え方がもろに表れます。

利益は「未来のために」得るものであるし、また使うものであるという考え方は、八天堂がこの世に存在するかぎり不変です。

実際に利益が出たら、まずは企業の責任として税金を払い、税引き後の利益は内部留保して、会社の自己資本を積み増しています。コロナ禍に対応する過去最大の先行投資に踏み切ったことで、二〇二一年時点では一時的に自己資本比率は五〇パーセントを下回っています。ただ、その投資によって二〇二〇年は過去最高の売上げとなりました。これからしばらくは、実質的に無借金で経営ができる自己資本比率七〇パーセントを目標に内部留保に努めていきます。無理な借金をせず、事業を通じて得た利益の範囲内で投資をし、回収をしていくかぎり、会社の健康が損なわれることはまずありません。

健全な経営があってこそ企業は永続でき、企業は永続してこそステークホルダーに貢献でき「三方よし」を実現できます。

社員のために会社があり、お客様のためにお品があり、すべての関係者や社会のために利益がある。この信条が八天堂の志であり、八天堂がこの世に存在する理由であると思っています。

第3章

八天堂の成長の源は「三方よし経営」

品性資本の三方よし経営とは

ここまでたびたび「三方よし」という言葉を使ってきました。なぜ、私が三方よしをここまで意識しているかというと、社是がそうだからです。

「品性資本の三方よし経営」

これが八天堂の社是です。

〝品性資本〟という言葉を初めて耳にする方も多いでしょう。品性とは徳とも言い換えられます。道徳を専門に研究・教育する公益財団法人モラロジー道徳教育財団発行の『徳づくりの経営』には、次のように説明されています。

品性は徳とも呼ばれ、道徳的な心づかいと行いを累積することによって形づくられる、卓越した道徳的能力のことです。この品性は人格の中心にあって、知情意をはじめ、心身の働きを統合する力となります。

（モラロジー道徳教育財団『徳づくりの経営』より）

一般的にビジネスで「資本」といえば、お金をイメージします。事業活動の元手になる財産です。一方、「品性資本」には、お金のような目に見える形はありません。ただし、確実に会社の中に存在し、蓄積されることによって経営によい影響がもたらされると私は考えています。

どんなに資本金が多くとも、人や社会を平気で裏切り、それを恥とも思わない経営者、社員ばかりの会社だったら、どうでしょうか。社会から信頼されないでしょう。ビジネスは信頼なくして成立しません。また、何かあったときにステークホルダーから応援されることもないでしょう。愛されない、応援されない企業は長続きできません。

ですから八天堂は、お金の資本とともに品性資本が充実した会社にしたいと思っています。

前項で八天堂には「人としての理念」があり、それは「貴方と出会えてよかったと一人でも多くの人に言ってもらえる、よりよき未来へとバトンをつなげていく人となる」であるとご紹介しました。

品性資本とは、私も含めた八天堂で働く一人ひとりがこういう人間に近づけるよう、日々己の人格を磨くことで高まるものだと考えています。

自分よし・相手よし・第三者よし

次に「三方よし」です。

もとは「売り手よし、買い手よし、世間よし」という近江商人の商売での心構えをまとめたものと言われています。しかし、近年の研究では「三方よし」は後世の造語であり、その源は、大正末期にモラロジー（道徳科学）を創建し「自己と相手方と第三者すなわち一般社会とのすべての幸福」の大切さを提唱した法学博士・廣池千九郎《ひろいけちくろう》（一八六六〜一九三八）の言葉であるとされています。

売り手や買い手と限定せず、三方よしは「自分よし、相手よし、第三者よし」

だと捉えると、経営のあらゆる場面、判断に役立てられます。

例えば、商品を買ってくださるお客様に喜ばれる値決めをしたとしても、それが仕入先を買い叩くように値切ったものだったり、社員の給料を不当に安く抑えた結果だったとしたらどうでしょうか。また、その製造過程で騒音が出たり悪臭が出て地域社会を困らせていたら、やがて反感を買い、信用を失って事業を継続できなくなるでしょう。

三方よしの提唱者、廣池千九郎に次のようなエピソードがあります。

昭和四年、廣池が講演のために長崎県へ向かう途中、山陽線の脱線事故により、山口県の戸田《へた》駅で列車は止まってしまいます。その日、廣池ら一行は、その先の三田尻駅前の旅館で講演する予定があり、午後七時までに行かなければなりません。一行は駅に残っていた一台のタクシーを頼みました。三田尻までは十五キロメートルあまりあり、二十円の料金で契約しました。

タクシーが出発しようとしたとき、長崎で重要な任務があるという会社員の男性一人と、親が危篤だという女子学生が駆けてきて、それぞれ同乗を希望しました。二人とも、どうしても先を急ぐ事情があり、それを聞いた廣池の随行者は親切心から快諾しました。

そのとき、それまで黙っていた廣池が「ちょっと待ちなさい」と口を挟み、同乗を望む二人に対してこう話したのです。

「私たちは二十円で契約をしたのだから、あなたたちを無料で同乗させてあげることは、少しも差し支えないが、それでは運転手さんは契約と違うから、不愉快な思いをしなければならないでしょう。私たちもあなた方も全員、一人五円ずつ出すことにしませんか。それだけ運転手さんには多く払うことになり、あなたたちも都合よく気軽に乗って行かれるし、また私たちも窮屈な思いはしなければならないが、五円だけ安く行けることになるので、これで三方どちらもよいことになるでしょう」

目的地に着いて同乗者と別れた後、廣池は随行者に対し、「相手だけでなく第三者（運転手）に対しても配慮することが大切である」と教訓したといわれています。この出来事に象徴されるように「三方よし」は、自分、相手、第三者のすべてに利益が及ぶように考え、行動する全体調和の原理です。

第三者を想像する

八天堂では、社是である「品性資本の三方よし経営」を額に入れて事務所や工場の出入り口に掲げ、常に社員の目に入るようにしています。

また、社内で企画などを検討するときには「これは相手にとって本当によいことなのか、まず考えてほしい。そして、次に第三者のことを考えてほしい」と社員に投げかけています。相手との二者間関係だけで発想すると、第三者や社会への配慮を見過ごしがちです。これからの時代、「第三者」には同時代のステークホルダーのみならず、三十年、五十年先の未来の人も含んで考える必要もあります。

では具体的に考えてみましょう。一般的にビジネスで「相手」というと、買ってくださる顧客、お客様が思い浮かびます。では、何をどうしたら「お客様よし」になるのか。この点を、よく考えなければなりません。

味が「おいしい」だけでなく、手土産として受け取って「うれしい」お品になっているか。「おいしい」「うれしい」だけでなく、お買い物やお召し上がりに不安がない「安心・安全」のお届けができているか。

そこまで考え抜き、丁寧におつくりしなければ、こだわりの一品とは言えません。そうでなければ、お客様に愛されるお品にはなれないでしょう。

また、仮に「お客様よし」になったとしても、その実現のために原材料の仕入先に対して、過度なコストダウンや無理な納期を強いてばかりいたら、どうでしょうか。

当然ながら、仕入先の方々も適正な利益を上げなければ、会社を存続できません。こちらが〝買い叩く〟ような真似を続けていたら、やがて先方が立ち行かなくなるでしょう。そうなれば結局、よい原材料が得られなくなり、お客様にこだわりのお品が提供できなくなるかもしれません。

誰かの犠牲のうえに成り立つ事業は、いずれどこかに無理が生じ、結果「三方悪し」となる可能性があるのです。

お品はお客様のために。一つひとつ感謝の気持ちを込めて手作り・手包み・お手渡しする

そうならないために、買ってくださる目の前の「お客様」のことだけでなく、仕入先や取引先、外注先、協力業者といった〝第三者〟の利益にも配慮できているかを、考える習慣を社内に根づかせていかなければなりません。「たかちゃんのぱん屋」をやっていた当時はまだ、社是に「三方よし」を掲げてはいませんでした。

もちろん、言葉としては知っていましたが、現在のように日常の業務や経営に落とし込むところまではいっていなかったのです。取引業者の方々を配慮できていたかと言われれば、反省しか浮かびません。

取引先に応援される会社かどうか

取引業者の方々への配慮を欠いた経営を続けているとどうなるか。私は身をもって経験しました。

それは「たかちゃんのぱん屋」が開業十年目に入ったころです。事業急拡大の反動から、売上げはピーク時の半分にまで落ち込み、幹部や店長まで辞めていった経緯はすでにお話ししました。

離れていったのは社員だけではありません。取引している仕入先や協力業者の方々の中にも、距離を置こうとするところが増えていきました。

長らく掛け売りで取引していたのに突然、現金取引でないと原材料を渡せないと言ってこられたりしました。あちらとしては万一、代金未回収のまま倒産されたら損害を被るわけですから、仕方ありません。

さらに納入価格を一方的に値上げしてくるケースもありました。こちらはギリギリにコストを切り詰めてやっています。値上げを受け入れられるはずがありません。私のほうから取引を断らせようという、あちらの思惑が透けて見えました。

要は、きっかけがあれば八天堂との関係を切りたいと相手に思わせるほど、私のそれまでの対応がよくなかったのでしょう。当時は〝仕入れは戦《いくさ》だ〟というくらいの気持ちで毎日やっていました。熱心さが行き過ぎて、相手にとっては無理としか思えない要求をしたことがあったのかもしれません。

一方、そんな落ち目の逆境のときだからこそ、手を差し伸べてくださる業者さんもいました。厳しいこちらの懐事情を知って支払期日を延ばしてくれたり、「何かできることがあれば教えてほしい」と言葉をかけてくれたり。うわべではなく、本心でそう言ってくださっているのがわかるのです。

その業者さんとは今もお取引していますが、型通りの見積りはいただきません。値切るつもりもありませんし、言い値で支払いますからご請求ください、という気持ちです。誰もが離れていこうとする中を懸命に支えてくれた業者さんは、私にとって〝恩人〟です。費用対効果で考えたとしても、比較にならないぐらいお世話になっているのです。

どうしたらお返しできるか、相手がよくなるためにどんなお役立ちをしたらよいだろうか。そんな思いが常に私の中にあります。

立場を変えて考えれば、八天堂自身が、そんなふうに業者さんから思っていただける存在にならねばなりません。お客様からだけでなく、取引業者の方からも「八天堂と出会えてよかった」と心から思っていただける会社をめざして――。

かつての反省が、現在の「品性資本の三方よし経営」へとつながっています。

のれん会との運命的出会い

試行錯誤のすえに開発した「くりーむパン」を巨大市場の東京でどう売り出すか。八天堂にとって大きなターニングポイントとなった挑戦の裏にも、とあるお取引先との〝運命的な出会い〟がありました。

そのお相手とは、東京に本社を置く「生産者直売のれん会」という会社です。魅力ある商品をもちながら、販路がなくて埋もれている中小食品会社の販売を応援したい。そんな志を抱いた黒川健太社長が二〇〇七年に起こしたベンチャー企業です。

私は当初から「くりーむパン」を東京で売るには、都市部の販路開拓を得意とする販売会社とパートナーシップを結び、支援を得ながらでなければ、うまくいかないと考えていました。東京には全国各地の一番店や指折りのスター物産が集まってきます。ただ「おいしい」だけでなく、魅せ方、売り方も工夫しなければ、市場を切り開くことはできません。

そこで、そうした販売代行やコンサルティングを専門とする会社を全国から探し出し、十数社と交渉をしました。実績の多さ、販路の広さなど、どの会社にもよさがあります。簡単には決められませんでした。

数週間かけて悩んだ結果、最終的に「この会社となら一緒にやっていきたい」と思えた相手が、生産者直売のれん会だったのです。

実は社内の選考過程では、のれん会をパートナーとすることに反対の声もありました。当時、同社の親会社の経営が思わしくなく、長く一緒にやっていける相手なのかどうか、危ぶむ意見があったのです。

私も、その点は気がかりではありました。それでも選んだ決め手は何かと言われれば「フィーリングが合ったから」としか言いようがありません。

十年以上前のことですが、今も忘れられないエピソードがあります。

パートナー選びに向けて十数社と交渉した結果、最終候補に残ったのは、のれん会のほかにもう一社、関西に拠点を置くB社がありました。どちらも甲乙つけがたく、どちらも粘り強い姿勢で譲る気配がありません。堂々巡りの話し合いが続き、選考は膠着《こうちゃく》状態となりました。

どうしたものかと弱っていたところ、それを察したのれん会の担当役員の方が、それぞれ本拠地のある東京と関西でエリアを分けて販売をやってみて、その実績をもとに八天堂が最終パートナーを決めるという方法を提案してくださいました。万一それでうまくいかなかったら、のれん会自身が落選する可能性も含んだ提案です。ギリギリのところで、私たち八天堂の立場に立った解決を模索してくださる、その姿勢、その考え方に「この会社とならやっていける」と直感しました。

実際の取り組みでも、のれん会の方々は三原の工場まで足を運んで「くりーむパン」のこだわりを自分たちの目で確かめ、それを販売の仕掛けに活かそうとしてくれました。単なるモノ売りではなく、つくり手である企業の代理として店に立つ。その思いがトップの黒川社長だけでなく、現場にまで全社的に共有されているのです。

ふたを開けてみれば、「くりーむパン」は都内商店街での発売開始から予想を上回る売れ行きとなりました。ＪＲの駅ナカや百貨店内の一坪売り場で販路を広げる、のれん会の戦略が当たり、最大級の激戦地である品川駅に常設店を持てるまでになったのです。のれん会との絆は今も続いています。

二〇二一年現在、八天堂はのれん会だけでなく、数多くの会社とコラボレーションをしたり、アライアンスを結んだりしています。そうした他社とのパートナーシップはいわば、会社同士の〝結婚〟のようなもの。伴侶を選ぶにあたっては誰しも年収の多さや身長の高さ、性格のよさなど、自分なりのモノサシで相手を吟味するでしょう。そのうえで、最後の決め手は「この人とならやっていけそうだ」という感覚、フィーリングではないでしょうか。

結婚の例えで言うと、私はパートナー先を選ぶとき「よい時だけでなく状況が悪くなった時でも、互いに相手を思いやり共に乗り越えられるかどうか」を重視します。

結ばれた直後は互いに夢いっぱいですから、よい結婚となるよう努力し合うものです。問題は、理想どおりに運ばなくなり、行き違いが増え始めたとき。互いが相手の不足を責め、感情がもつれて話し合いさえできなくなってしまったら、元に戻るのは困難でしょう。会社同士も、そこまでもつれてしまったら、最後は裁判しか選択肢がなくなってしまいます。

つまり「フィーリングが合う」とは、問題に直面したときの受け止め方、解決する考え方が合うということです。

中小企業は三方よしのアライアンスを

日ごろから「三方よし」の経営を志しているかどうか。それは、他社とパートナーシップを結んで進める事業の行方を大きく左右します。

私はこのパートナーシップを、その協業のスタイルによって二つに大別しています。一つは「コラボレーション」。互いに協力して一つの商品やサービスをつくる共同作業です。もう一つは「**アライアンス**」。こちらはコラボレーションより一歩さらに踏み込み、一つの事業を協働して営む共同事業という捉え方です。

例えば、二〇二〇年から大手菓子メーカーのロッテさんが「くりーむパン」をイメージしたカスタード味の「チョコパイ」やアイスの「モナ王」「雪見だいふく」を商品化されました。また人気キャラクター「ムーミン」やファッションイベント「東京ガールズコレクション」と組んで、「くりーむパン」の新商品を作りましたが、これらはコラボレーションです。

一方、シンガポールを拠点に香港、マレーシア、インドネシアなどで進める海外事業は「アライアンス」方式での取り組みとしました。

例えば、マレーシアでは現地資本の会社と組み、八天堂のロゴマークや経営ノウハウを用いて現地で事業を行う権利を与える代わりに、一定の対価を支払っていただくというようなアライアンスを結ぶのです。マレーシアは今後の東南アジアの生産拠点となるでしょう。

私たちのような中小企業は、大企業のように経営資源が潤沢ではありません。

販売力にせよ資本力にせよ、自社にない強みを持った他社と積極的にコラボレーションをしたり、アライアンスをしていかなければ、内需が減るこの先、生き残っていくことは難しいでしょう。

とはいえ、お互い独自の経営体をもった企業です。モノの見方や社風、仕事の進め方にも違いがあります。思わぬところで衝突し、せっかくのビジネスが破談となってしまうのは避けたいところです。

そこで重要なのが**「三方よし」**です。

相手先と互いに補い合い、高め合いながら「お客様よし」をめざす「三方よし」の共同事業とするため、私が必ず行っていることがあります。

それは**「あり方」の共有**です。

いつまでに、どうやって売上げを上げていくか。そんな事業の「やり方」の話に入る前に、私は必ず社是などをまとめた『HATTENDO BOOK』を相手に見てもらい、八天堂がどんな会社なのかをご説明します。そのうえで相手先の経営にかける思いなどもしっかりお聞きするのです。

そこで、もし損得のモノサシの話しか出てこないようなら、その会社とは縁がなかったと思うしかありません。**「やり方」のズレは後で修正できても、「あり方」のズレは時間が経つほど問題化するから**です。

これまで数多くのアライアンスで他社と共同してきましたが、幸い大きなトラブルになったケースはありません。万一、当初の計画どおりにいかなくなったとしても、「何のためにやるのか」というあり方が事前に共有できていれば、信頼関係が壊れることはまずないでしょう。

誰もが幸せになれるビジネスのあり方

この本の読者にとって身近な「第三者」といえば、どんな人が思い浮かぶでしょうか。その答えは、人間関係をどのような視点で見るかによって違ってきます。

例えば、勤め先の職場の人間関係で考えた場合、第三者は隣に座る同僚かもしれません。商談で客先を訪ねた際は、目の前の商談相手に対し、第三者は同行した上司ということもあります。

これが個人ではなく会社を単位に考えると、「第三者」になり得る対象はさらに増えます。社員、お客様、仕入先、協力業者、株主、一般社会、国……。

〝第三者〟は固定の存在ではなく、どの立場、どの視点で事業を考えるかによってさまざまです。究極的には、自社の事業にかかわる、すべてのステークホルダーと調和的なよい関係を築くことが「三方よし」の目的ですから、数え方によっては三方が四方になるだけでなく、七方にも八方にも十方にもなり得ます。会社全体をみる経営者であれば七方よし、八方よしを意識しておく必要がありますが、現場仕事の社員はそこまでいかずとも「第三者」の存在を意識する習慣があるだけでもだいぶ違ってきます。

自分と相手までは頭に浮かびやすいものですが、三人称・第三者に思いを巡らすのは簡単ではありません。目の前に実在しないことがほとんどだからです。

「三方よし」を仕事に落とし込むには、想像力を働かせなければなりません。

例えば、第三者を「社会」と捉えた場合、それがオフィス周辺の地域のことなのか、お客様の地域のことなのか、日本全体のことなのか。具体的に想像してこそ「誰のために」「どう役立てばいいか」が考えられるようになります。

ここからは、私たちが進める二つの事業を例に、八天堂の「社会よし」の取り組みを知っていただければと思います。

「また来月も来ていただけますか」

「たかちゃんのぱん屋」のころ、障害を持つお子さん向けのパン作り教室を広島で開いていたことがあります。

一緒にパンで小さな動物を作ったりすると、本当に喜んでもらえました。そのころは事業の立て直しが喫緊の課題で、普通なら社会貢献にいそしんでいる場合ではありません。しかし、わずかな時間でも障がい者の方々とパン作りをしていると、私のほうが勇気をもらえるのです。

「森光さん、息子が毎月このパン作りを楽しみにしているんです」

「また来月も来ていただけますか。ぜひお願いします」

目に涙を浮かべて話すお母さん方と接していると、こちらも思わず泣けてくるのです。

〝誰かの役に立てている〟

その実感が、心の糧になりました。

仮に今、五体満足で不自由なく生きていたとして、明日、交通事故や病気で障害を持つ可能性が「ない」とは言い切れません。障害を抱えて生まれた方は、ご自分が頑張ろうとしても、頑張ることができないのです。世界人口の一五パーセントにのぼる方が障害を持って暮らしていると言われています。決してマイノリティではありません。もし私が同じ境遇になったとしたら……。そう思うと、とても他人事には思えないのです。頑張ろうと思っても頑張れない方を間接的にでも支えていく、その思いは、どん底のときに生きる勇気をもらったことへの私なりの恩返しでもあります。

パン作り教室はその後、継続がかなわなくなりました。いつかまた障害のある方々とパン作りがしたい、作る喜びを分から合いたい。そんな思いを持ち続けていました。

願っていると〝縁〟が訪れるものです。平成二十六年（二〇一四）の春、ある会合で、千葉で知的障がい者の就労支援をされている「かずさ萬燈会」という社会福祉法人の理事長の方とご一緒しました。

いつも支援される側にある障害のある方々に、自分で働いたお給料から「税金」を納める喜びを味わわせたい。そんな理事長の熱い思いに触れ、ぜひ一度、施設を見てみたいと思い、千葉まで足を運びました。そこから「かずさ萬燈会」さんが土地を準備し、八天堂が工場を建設するという形で、就労支援でパンを作る工場「八天堂きさらづ」が誕生したのです。

障がい者の方に工場内で担っていただく役割は、程度によって異なります。障害の重い方が多いため製品の品質を左右する工程をお願いするのは難しい面もあり、主に果物を切ったり、出来上がった製品を配送する仕事をやっていただいて

平成 29 年に千葉県木更津市にオープンした「八天堂きさらづ」。障がい者の就労支援として運営され、パン作りの体験工房も併設（要予約）

います。三原の本社スタッフがサポートしながらですが、とても喜んでくださっているようです。パン作りに携わる喜びもあるでしょうが、自分で働いたお給料から「税金」を納めることができる喜び、これがとても大きいのです。

通常、就職が困難な障害を持つ人に仕事の場を提供する「就労継続支援B型事業所」で利用者が携わる仕事といえば、ペットボトルのふたを外すといった単純作業が多く、工賃としての報酬はごくわずか。納める税金より、福祉として受けるサービスのほうが多かったという人がほとんどです。木更津工場では現在、利用者の平均工賃の五倍に相当する額を支払えるまでになりました。「ずっと社会のお世話になっていたけれど、今では納めた税金によって誰かの役に立っている」。そんな喜び、自信を得ていただければと思うばかりです。

三方よしの発想から生まれた初の県外工場

私ども八天堂の〝事業継続〟という点でも、木更津工場の存在は小さくありま

楽しみながら認知症予防になると好評の「パンデコ」(パン生地のデコレーション)。広島国際大学や福祉施設との「三方よし」のコラボで高齢者の健康づくりにパンを役立てている

せん。実は私どもにとって、ここは東日本で初の製造拠点です。以前は、三原で製造した「くりーむパン」を毎日一万個以上、広島空港から関東圏に空輸していました。ところが平成二十七年（二〇一五）に航空機の着陸事故が起き、広島空港が三日間も閉鎖されたのです。それは私たちの製品の供給が絶たれてしまうことを意味していました。

この経験から、三原だけでなく、東日本のどこかに工場を分散させる必要性を感じました。木更津工場ができたことで、供給体制は安定できたのです。

就労支援というと、上から目線に感じられるかもしれませんが、こちら側が支えていただいている部分も少なくありません。私ども八天堂もよし、かずさ萬燈会さんもよし、そして障がい者の方にも〝よい〟という「三方よし」の事業になっています。

実はそれだけではなく、木更津工場の誕生は、八天堂の社員にもよい機会となっています。私は毎年、かずさ萬燈会の施設に社員を連れて行きます。見学と言ったら不謹慎ですが、理事長から障害を持つ方に会ってくださいと言われるのです。生きるうえでの数々の困難を背負いながらも、なお懸命に自分の人生と向き合う。その姿に触れると、社員たちも〝自分たちはこれでいいのだろうか〟など、多くのことに気づかされます。

誰しも人間の心の底には「人に喜んでもらいたい」「人に尽くしたい」という思いがあるものです。でも、日ごろ自分の満足や生活中心で生きていると、その思いが表に出てきません。障がい者の方と比較することは不適切かもしれませんが、比べたときに初めて自分に必要なものが探せるわけです。

頑張れることがある、挑戦できることがあることがどれほど幸せか。頑張ろうとしても頑張れない人がいるのです。

かずさ萬燈会さんとの協働による、この就労支援は八天堂の人づくりに欠かせないものとなっています。

第三者よしがSDGsに

最近、二十代の社員と話していて感じることがあります。それは社会貢献をしたい、みんなに喜んでもらいたいという意識がとても強いこと。彼らは誰に言われるでもなく、自身の願望として「みんなの役に立っていきたい」「みんなを笑顔にしていきたい」と夢を語ります。

今、日本を含め世界中で取り組んでいる「SDGs（持続可能な開発目標）」に関心をもつ若い世代が多いというのもうなずけます。

私は、地域社会や未来に貢献できるという視点、つまりSDGsの考え方が、「三方よし」の〝第三者よし〟になり得ると考えています。

SDGsの十七項目は地域貢献に当てはまり、「三方よし」の具体的な行動指針になり得るのです。「世間よし」とは、広く考えれば、永続、繁栄、持続可能のことでしょう。

食品メーカーである八天堂では、早くから「食品ロス」の問題にも取り組んできました。世界の貧困地域で飢餓が発生する一方、日本を含む先進国では、食べられる食品が大量に廃棄されており、食品ロス解消はＳＤＧｓのターゲットの一つにも設定されています。

特に冷凍でお届けするフローズン「くりーむパン」は、需給上の問題で機会ロスし、市場に出せなくなるロスパンがどうしても出てしまいます。そのうち消費期限内のロスパンを福祉施設に無償提供したり、被災地に差し入れたりしています。

広島はここ数年、記録的な豪雨に何度も見舞われ、三原市周辺でも河川の氾濫や土砂災害により、たくさんの方が体育館に寝泊まりを余儀なくされています。そういう避難時の緊張をほぐすのに「くりーむパン」はぴったりなようで、お持ちするとものすごく喜んでくださいます。

また、食にかかわる地域の課題解決に貢献するため、本年（二〇二一）からぶどう農園の経営にも取り組み始めました。

広島県竹原市でスタートした「八天堂ぶどう園」。市内の社会福祉法人と共に、農作業を通じて生活困窮者の自立を後押しする農福連携事業として、持続可能なモデルをめざす

昨今は、農家の高齢化で耕せなくなった農地が全国的に増え、地域の大きな課題となっています。耕作放棄地が増え、農業がたちゆかなくなれば地方の経済は回りません。食料が安定供給できなくなれば安全保障の問題にもなり、国レベルの課題になるともいえます。

微力ながら何か解決に貢献できないかと思っていたところ、所有者が亡くなって放棄されそうなぶどう園がある、と三原市から情報が入りました。その園があるお隣の竹原市は、明治初期からぶどう栽培を始めた歴史ある産地です。紹介された場所は日当たりのよい山間部にあり、シャインマスカットなど五品種も栽培できる本格的なぶどう園でした。

ただ、そこで八天堂が農業で収益を上げるだけでは、地域への波及効果は限定的です。そこで市内の社会福祉法人さんと協働し、生活困窮者の方々の社会復帰に向けた就労訓練の場として園を活用いただくことにしました。収穫したぶどうは菓子やデザートに加工して収益化につなげます。

この事業は、全国に先駆けた**農福連携型の就労訓練支援事業モデル**として注目をいただきました。後継ぎがいない農家を企業が受け継ぐマッチングモデル、収穫した果実に付加価値を付けて八天堂のチャネルで販売する、農福連携のサステナブルモデル（持続可能）になればと思っています。

私はいつも何か新しい事業を始めるとき、相手にとって、自社にとって役立つかという視点に加え〝社会の役に立つか〟を判断の基準にしています。農業経営の経験はありませんが、この事業はまさに「三方よし」になると判断し、取り組みをスタートさせました。

このぶどう園のチャレンジを「三方よし」の農福連携事業としてモデル化し、五年後には竹原市以外にも展開できればと思っています。

地方の問題だけでなく、食の安全保障にもつながり、ひいては日本全体の課題解決にもなる農福連携事業は、ＳＤＧｓにつながる事業です。

地方の中小企業だからできるＳＤＧｓ

農業の後継ぎ不足は、地域の大きな社会問題です。

なぜ後継ぎがいないのか。農業に魅力がないこと、加えて現実問題として経済生活が厳しい事情もあります。農家をされている方は非常に熱意があって、農産物に対しての思い入れもあります。よいものを作ろうという思いはありますが、販売する建て付け（組織やプロジェクトの構成・枠組み）がないのです。

今、「六次産業化」と言われるように、一次産業者（農林漁業）が二次産業（製造業）の加工を行い、三次産業（小売業）の流通と販売も行うことがあります。幸い八天堂では加工して販売するルートが出来上がっていますので、入口から出口までのトータルでお役に立つことができます。われわれが益を得るためではなく、農業が継続できることに貢献したいのです。

この問題については、大企業も乗り出しています。しかし、大企業は効率と費用対効果で判断するため、細かいところまで手が回りません。

もちろん、この運営には、一定の資金が必要です。これは本業ではありませんし、収益もすぐに出るものではありません。おそらく三年ぐらい赤字覚悟でやらなければならない可能性もあります。しかし、社会が必要としている「三方よし」の事業ならば、きっと応援されるはずです。

最近は、お客様や会社にとって利益につながることでも、社会にマイナスの影響を与えたり、SDGsに反する可能性があれば、社員から反対の声が挙がるようになりました。社内に「三方よし」の考え方が浸透し始めているからこそと受け止めています。SDGsが広く認識され、具体的な課題が示されたことで、「三方よし」がより共感をもって理解されやすくなってきたと感じています。

「たらいの法則」

こうした地域貢献をもう一段進めるため、現在取り組んでいるのが「八天堂ビレッジ」の構想です。

この構想の発端は、二〇一二年にさかのぼります。手狭になった三原駅近くの本社工場から、思い切って広島空港前に工場を移したのです。初めてその土地を見たとき、夕陽を背景に飛び立つ飛行機のシルエットがとても印象的で、八天堂が未来へはばたくイメージが重なりました。「くりーむパン」は関東圏に毎日空輸しますから、空港近くに工場があれば効率的でもあります。

翌年、ここに「広島みはら臨空工場」が完成しました。

空港には毎日多くの人が出入りします。せっかくのロケーションを製造工場だけに費やすのはもったいない。そこでお客様が「くりーむパン」を作る工程を間近で見学できる〝魅せる工場〟にするとともに、パン作りを体験し、パンを味わえる「カフェリエ」（カフェとアトリエの造語）をオープンしたのです。

このころにはすでに、パンメーカーという従来の事業領域、「食」を通じた観光、食文化の発信事業へと広げていく構想をもっていました。

もちろん、それは「八天堂のため」にとどまらず「地域のため」に役立つかどうかを考え抜いたうえでの構想です。

そこで八天堂単独ではなく、地元の企業と協働する形で新会社「空・道・港」をつくり、空港エリアのにぎわい創出をめざして、道の駅ならぬ「空の駅」をつくりました。そこには先ほどお話しした「農福連携」で収穫した地産のぶどうや県内産のフルーツを素材に、八天堂をはじめ、地元企業が思い思いのパフェやアイスクリーム、パンケーキなどのオリジナルの新商品を作り、提供します。観光だけでなく農業の活性化も図りつつ、そこに参加した企業も活性化していく「三方よし」のビジネスモデルです。

人と企業がそれぞれのよさを活かしながら、新しい味わい、にぎわいを生み出していく「果樹園」をイメージして、店名は「空の駅オーチャード」としました。

当然、新規事業には投資が必要です。もし、八天堂のための八天堂による事業だったら実現していなかったかもしれません。始めるにあたっては、地元の三原市や世羅町エリアの観光推進組織（DMO＝デスティネーション・マネジメント・オーガニゼーション）として〝稼ぐ観光〟をめざした官民の協議会が立ち上がり、市や町単位の取り組みへと広がりを見せています。買って味わう「くりーむパン」から、見て触れて感じてもらえる「食のテーマパーク」へ——。このエリアは現在「八天堂ビレッジ」として、さらに非日常の体験、遊びができるゾーンへと発展を遂げていこうというところです。

ふり返れば、「かずさ萬燈会」さんとの就労支援も、ぶどう園の農福連携も、そしてのこの空の駅や八天堂ビレッジの取り組みもすべての発想は、どのように**八天堂が社会に役立たせていただけるか**の視点から始まりました。

江戸時代に何百もの荒れた村々を復興させた二宮尊徳の考え方に「たらいの法則」というものがあります。たらいの中の水を自分のほうに寄せようと手をかくと、水はたらいの縁《ふち》を伝って逃げていく。反対に水を前に押し出すようにかくと、縁を伝って自分に返ってくる。つまり、**得ようとすればまず譲ること、相手を喜ばせること**だということです。

私がいつも「三方よし」を思い描くとき、頭にこのイメージがあります。自社の利益にこだわりつつも、直接的に利を自分に招き入れようとするのではなく、まず相手や社会の利を考えることによって、信頼され共感され、応援の輪が広がることによって、その利は自社に返ってきます。

三原から広島へ、瀬戸内から全国へ、日本から世界へ――。「三方よし」で描く未来図は多くの可能性を秘めています。

第4章

「三方よし」の人づくり

経営者は演奏家ではなく指揮者

かつての廃業の危機は、ひとえに私の経営者としての未熟さが原因でした。不足を挙げればキリがありませんが、一例を挙げれば、マネジメントの専門家である「経営者」と現場プレーヤーである「職人」の役割を混同していたことが挙げられます。

一店舗の規模でしたら、プレイングマネージャーでも間に合うかもしれません。ただ店舗が複数になり社員も増えれば、当然マネジメントすべき範囲も広がります。

「職人が店を広げようとするな」

父からそう忠告されても、現場好きの私は粉まみれになってパンを作りながら経営をするという、中途半端なことを続けていました。好きといえば綺麗に聞こえますが、別の言い方をすれば「楽」だったのです。自分の本来の役割から逃げていたと言ってもいいでしょう。

その結果が廃業の危機です。

現場で作業をしながら経営の仕事をすることは簡単にはできないと、身をもって体験しました。演奏家ではなく指揮者に徹しなければならないのです。

特に「くりーむパン」の開発を経て、さらに成長をめざして社内のベクトルを一つにしていくには、「何のために」という想いを共有することが不可欠です。

想いやビジョンは、経営者にしか語れません。

そこで平成十九年（二〇〇七）、私は経営者に専念する決意をしたのです。

これにはたいへんな葛藤がありました。職人が現場を抜けるというのは、相当な覚悟が必要です。

数千回、数万回という自問自答の末、「八天堂は社員のために、お品はお客様のために、利益は未来のために」という信条が明確になったことで、本当の意味で経営者としての覚悟が定まったように感じます。

プレーヤーからマネージャーに変わると、働く場所だけでなく、日々のサイクルも変わります。現場ではなく、デスクワークや外での営業だったり、勉強会に出席して人に会ったりと、全く内容が違ってくるのです。

とはいえ、現場が育っていなかったので、次の日からすぐにプレーヤーから抜けられるわけではありません。現場から完全に離れるのは一年半ぐらいかかったと思います。

十から九、八と徐々にシフトしていきました。

いきなり「明日から現場に入らないから、よろしく」とは言えません。そこは計画を立てて実行しました。一部の社員に、「私が来年の今ごろ、現場に入っているようじゃ、もううちの会社はないからな」と言っていたのを覚えています。

使命は「人づくり」

八天堂の経営のめざすところは大手上場企業とは違います。

会社は株主のためでも、経営者のためでもなく、公のために存在するものです。

その一番の使命は「人づくり」だと私は考えます。

「モノづくり」とはよく言いますが、「人づくり」は聴きなれない方もいらっしゃるでしょう。これはモノのように人を形に仕立てるという意味ではありません。

三方よしを提唱した廣池千九郎は、企業の目的は事業の拡大や利益を上げることではなく、人を愛し、その成長を図ることにあるとしました。昭和の初め、経営上の相談に訪れた製造業の社長に対して、次のように助言したといわれます。

物をつくる工場ではつまらない。人間をつくる工場でないといけない。そして世の中には物をつくる工場はたくさんあるけれども、経営者としての使命は、人間をつくることである。

モノ・カネ・情報という経営資源がいかに豊かでも、それを活かせる人材がいなければ、企業は成長できません。よき社員がいてこそ取引先や仕入先、協力業者などの縁は深まり、かかわるすべての人を通じた「三方よし」の経営が可能になります。人づくりあってこその三方よしです。

その意味では事業の拡大や利益を上げる手段として人づくりをするのではなく、**人づくりをする手段として事業があり利益がある**、という考え方もできます。

関東大震災後の東京で、人間中心の都市復興を指揮した後藤新平は、次のような言葉を遺しています。

財を遺すは下　事業を遺すは中　人を遺すは上なり
されど財無くんば事業保ち難く　事業無くんば人育ち難し

（注）「されど財無……」は後世の人が追加したと言われている。

モノや事業は一度形にしても時代が変われば、いずれ価値を失っていくでしょう。長期にわたって価値を生み出すのは事業でなく人材です。

パーパスは食のイノベーションを通じた人づくり

私が経営者に専念することを決意した平成十九年（二〇〇七）は「くりーむパン」一種類に絞ることを決め、開発にとりかかった年でもあります。

選択と集中とは、戦略とは、イノベーションとは——。

真の経営者となれるよう学びを始めるとともに視野や発想が広がり、ビジョンが大きく広がっていきました。その年には経営理念や信条（クレド）の原形もでき、会社と私自身のこれからの〝あり方〟がくっきりと定まってきたのです。

昨今、「パーパス経営」が世界的に注目されています。

「パーパス」とは存在意義のことであり、『パーパス経営』の著者で経営学者の名和高司氏は「その源泉は自分のための欲望ではなく、他者にとって価値あることをしたいという信念、すなわち志（パーパス）だ」と指摘しています。

他者のため、社会のために八天堂はどんな存在であるべきか。私の答えは「食のイノベーションを通じた人づくりの会社」です。

人づくりとはつまり〝三方よしに生きる人間〟をつくること。相手や社会から「貴方《あなた》と出会えてよかった」と言っていただけるような人になることです。

この会社としてのパーパスを社内に打ち出すとともに、想いを共有できる人材を増やすため、第二の創業を機に私は、経営者としての多くのエネルギーを「採用と育成」に注ぎ始めました。

補充ではなく採用

どうすれば、よい採用をすることができるか。

「たかちゃんのぱん屋」時代も、事業拡大に伴い、数多くの人材を採用してきました。

しかし、経営者として勉強を進めるうち「採用と補充は違う」と学びました。

当時は人が辞めたり仕事量が増えてきたら人を入れるという〝補充〟ばかりをし

ていたことに気づいたのです。計画性がありませんでした。

新卒採用で大切なことは新入社員の価値観を合わせていくことであり、その利点は、理念・価値観を共有できることです。中には、採用する側の企業と本人の価値観がぴったり合っている方もいますから、中途採用が悪いのではありません。新卒がまっさらなキャンバスだとすると、中途採用者はすでに別の企業の色で染まっていて、新しい色に染めるのが難しいのです。

平成二十一年（二〇〇九）、県内の店舗を閉じなければならないときを、私は会社の〝第二創業期〟ととらえました。広島県は広く、支店の従業員は現地採用が多かったため正社員が少なくなり、パートやアルバイト、派遣の方が残りました。その際、中途採用を考えず、新卒採用で、扇の要となる社員、価値観を同じにできる人財を求めました。

早速、平成二十一年からコンサルタント会社の支援を得て新卒採用を始めました。前年から一歩踏み出していましたが、本格的に「マイナビ」や「リクナビ」を使い始めたのはこのころからです。

そのときに入社した一期生の一人が、二〇二一年現在、常務として私の右腕になってくれています。三期生も今年、取締役になりました。新卒採用を本格的に始めてよかったと思います。「出会いが人生を変える」という言葉がありますが、採用は「出会い」です。

二〇〇九年に新卒採用を始めてから、はや十三年。

他の取締役の二人は中途採用ですが、価値観が会社の理念・信条と非常に合っています。一人は海外の責任者で、もう一人はコンサルタント会社を辞めて入社してくれました。そのようなメンバーが会社の核となって運営してくれています。また、価値観を大切に採用と育成をしてきたためフィーリングが合う社員が多いようで、これまでに社員同士の社内結婚は二十組（送り出したカップル含む）を数えます。

惜しいことに、世の多くの中小企業は、育成することに意識が向いていないのか、採用に力を入れていないところが多いようです。

行政や商工会議所が開催する無料説明会に参加するところから始めて、やはり

めざすはモノづくりの会社でなく、モノづくりを通じた人づくりの会社。全社員のベクトルを一致させるため日頃から経営理念や信条を確認・共有している

経営者みずからが一度は大学や高校を訪問しなければなりません。

そう申し上げると「今は業績がよくないから」と言う経営者もいます。確かに採用にはお金がかかりますが、意思の反映が予算であり、予算は意思の表れです。私もお金がありませんでしたが、なんとか予算を捻出し、一歩を踏み込みました。人材の獲得は、採用が半分、つまり「出会い」が半分、育成が半分です。出会いで人生が変わるのです。人の成長が事業の成長、事業の基です。

経営者は足を使って本気で出会いを求めなくてはいけません。

社員よし、親よし、八天堂よし

大学を卒業したての社員にとっては、就職イコール八天堂という会社との出会いです。この会社でどんなふうに自分が成長していけるのか。どんな将来が待っているのか。期待と不安を抱いているのは就職する本人はもちろんのこと、親も同様のはずです。私がもし親の立場だったら、子供がどんなところに就職したのか、その会社のことを知りたくなるでしょう。

そこで新卒採用を始めてから、入社が決まった社員一人ひとりの親御様へのご挨拶を欠かさず続けてきました。広島周辺の近場だけでなく、北海道から沖縄まで全国津々浦々、海外も例外ではありません。

大切なお子様を預かる側としての覚悟をお伝えすること。そして八天堂が何のためにどこに向かって行くのかをご理解いただき、安心いただくのが主たる目的です。


数ある家庭訪問の中でも、今もその光景がありありと目に浮かぶワンシーンがあります。それは二〇〇九年、まさに新卒採用を始めた年でした。

内定が決まった宮川くんの親御様へご挨拶に行ったときのこと。

「入社して間もなく、宮川くんに工場長になってもらおうと考えています」

私はご両親にこう伝えました。

当時は、専属の工場長がおらず適任者をずっと探していました。宮川くんは若いわりに考え方がしっかりしていて、「彼なら任せられる」と思ったのです。

とはいえ、わが子が入社した途端に「工場長」にされたと聞けば、親御様が会社の方針に不信感を抱く可能性があります。直接お会いして説明しなければと思い、当日その場でそのことを切り出したのです。

「うちの正で務まりますか?」

お父様からの質問に私は即座にこう答えました。

「彼なら、きっとやってくれると思います」

その言葉を耳にしたお父様は、それ以上質問することもなく、ただ一言、こうおっしゃったのです。

「それなら、よろしくお願いします」

初めて対面した私を信じ、大切なわが子を託そうとしてくださる、その心意気に、思わず目頭が熱くなりました。

もしあのとき、お父様に工場長就任を固辞されていたら、今の八天堂はなかったかもしれません。弊社工場において、それだけ大きなタイミングでした。

現在、彼は常務取締役として、みんなを束ねていく、大きな大きな存在となってくれています。親御様には感謝しかありません。

もう一つ、忘れられないのはシンガポール店で採用となったシンガポーリアンの親御様との出会いです。

息子の就職先の社長がわざわざ挨拶をしに来るなんて、外国の文化に合ってないのでは、と危惧《きぐ》していましたが、お会いするなりハグされるほどの歓迎ぶり。心から訪問を喜んでいただき、驚きました。彼は現在もシンガポール店の主力として活躍してくれています。

就職した本人だけでなく、親御様にとっても「八天堂と出会ってよかった」と思ってもらえる会社であろうと、信念をもって毎年続けてきました。今もその思いは変わりませんが、時代の変化に合わせて、現在は動画で私のメッセージを送らせてもらっています。

もちろん百点満点の会社ではありませんから、辞めていく社員もいます。満足にできてないこともあり、申し訳ないという気持ちや、贖罪の意識もあります。人間が不完全ですから、これまでやってきたことで結果的に相手を困らせたり、つらい思いをさせたこともありました。反省だらけです。

人の育成と採用は投資

八天堂はインターンシップ（学生の就学体験）にも力を入れています。コロナ禍以前は、一泊二日から四泊五日の合宿を行っていました。また、大学一年生あるいは三年生から学生社員の制度もあります。経費がかかりますから、ここまで長期のインターンシップを採用している企業は、広島でも少ないのではないでしょうか。

投資と言ったら聞こえが悪いと思いますが、**人づくりと採用は投資だと私は考えます**。自分の人生も投資ではないでしょうか。食べてスポーツをして健康になる。これは投資ですから、お金がかかります。

こうして投資と回収を考えた場合、**最たる投資は「人の採用と育成」**だと私は思っています。投資しなければ人は育ちませんし、いい人間に出会う可能性も低くなります。

また育成の場をつくらないと、人の成長も遅れます。人の育成は中長期ですから、十年経ってやっと結果が出てくるのではないでしょうか。当社もやっと結果が出てきたと実感しています。

私は、**人の育成費や教育費は「コスト」と考えたくありません。**働くことは現場での実践です。右から左に動かすだけの仕事も実践に含めるのは無理があるかもしれませんが、人が現場から得られる教育的な成果は大きいのです。

先に述べたとおり、信条の第一は「八天堂は社員のために」です。社員の技術やマインドを質と量とともに上げていくことは当然です。伸びている企業は、質と量がともに高まっているのです。ただ、むやみに経費を使っていいというものでもありません。やはり、これは投資と回収、費用対効果の問題です。事業なので効果の検証はしていかなければいけません。必ずＰＤＣＡ（計画・実行・評価・改善）は必要です。

育成費はその時々によって増減がありますが、最低、売上げの一パーセントは取るように予算を立てています。商品開発のための勉強会も育成と考えれば、合わせて二パーセント程度でしょうか。

仕事（スキル）より人間性（マインド）を重視

人づくりとは平たく言えば、幸せづくりではないでしょうか。幸せづくりとは物心両面、つまり環境と心の両面がよくなることです。

私は人の成長を、人間性（マインド）と仕事（スキル）の縦軸と横軸のマトリックス図を描いて評価します。

仕事ができてマインドがないのは×です。仕事ができずにマインドも持ってないのは普通では×でしょう。しかし、私の基準は△なのです。両方ともできないというのは、大きなマイナスのイメージではありません。

しかし、仕事ができてマインドが駄目ということは、組織にものすごく悪い影響を及ぼします。個人プレーだったらよいと思いますが、組織やチームにおいては×です。

例えば、川で舟を漕《こ》いでいたとします。本当に力があって漕ぐのがうまい人間でもマインドが違っていたら、斜めに漕いだり、逆に漕いだりして、同乗者を危険に陥れるかもしれません。逆に漕ぐ力がない人間が漕いでも大きな影響はないのです。力があり、マインドがないというのは最悪なのです。そのような例を多く見てきました。

マインドとスキルの両方がない場合、本人はある程度、自覚があるので謙虚になってよい方向に変わっていく可能性があります。しかし、スキルがある場合、自分はできるという変な錯覚があるので、反省ができなく、人間的に変わっていくことができません。変にスキルだけがあると大変なのです。

私はどん底のとき、スキルのない人間に助けられました。言葉が悪いかもしれませんが、スキルのある人間から辞めていって、辞めてもらってもよいと思っていたスキルのない人間ばかりが会社に残っていました。悪い組織は上から順番に辞めていくと言いますが、その典型です。ところが、会社に残ってくれていたスキルのない人間が、長時間、頑張って働いてくれたのです。そのとき私は人の見方が百八十度変わりました。

「できる・できない」というスキル面のモノサシで評価する考課制度があります。しかし、私はスキル面を重視していません。パンを作れる・作れないで判断しない。スキルは二の次、三の次です。もちろん、できることに越したことないのですが、**圧倒的に人間性（道徳性）を見ています。スキルは後からついてくるからです。**

優秀な経営者やリーダーの仕事の一つは、スキルのない人間の得意なところを見つけることではないでしょうか。

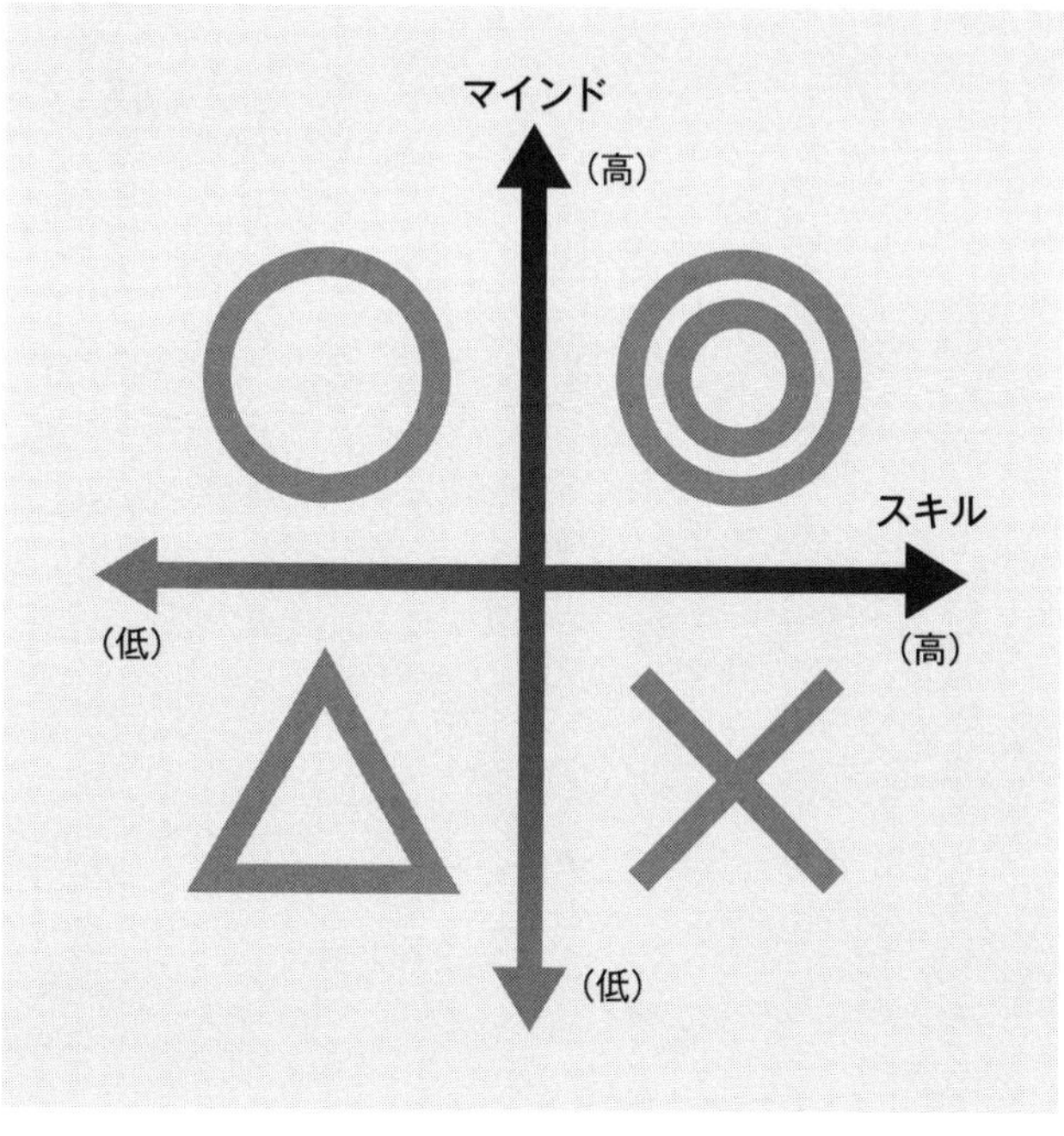
マインド
（高）
スキル
（低）
（高）
（低）

「品性資本」経営をめざして

では実際に、仕事の中でどうすれば人間性を高めていくことができるのでしょうか。そのヒントを私は道元禅師の『正法眼蔵』にある「霧の中を歩めば覚えざるに衣湿る、よき人に交われば覚えざるによき人になるなり」という言葉に見いだしました。

霧の中を歩くと知らぬ間に衣服が湿るように、よき人と接していると気づかぬうちに自分の品性も上がってくる――。会社にとって、この霧にあたるのが〝社風〟です。

社風とは、その会社の風土であり、独特の雰囲気、文化と言ってもいいかもしれません。よき社風のもとで働いていると、いつに間にか社員の人格が向上していくのです。そのような社風が職場になく、スキル向上を優先させると、人づくりは非常に難しいです。

例えば、面と向かっては伝えにくい感謝の気持ちを伝え合う「ありがとうカード」の取り組みはその一環です。まだまだ模索中ですが、挨拶であったり、相手を認める言葉がけや「ありがとう」がこだまする職場風土ができていけば、上から押し付けるような教育をせずとも、人格は磨かれていくものです。

私はこうした社風をつくり、よき人づくりをすることが実は、本当の意味での社会貢献ではないかと思っています。

地域から頼られる人間をつくることや、地域の人々と一緒になって地域を支える人間を一人でも多く育てること。事業の目的はそこにあると痛感しています。

はたして、会社が利益を出すことは、地域社会から見てプラスだと言えるのでしょうか。喜んでもらえることなのでしょうか。

もちろん雇用を確保し、法人税を納めている点は、地域から見ればありがたいことでしょう。しかし、一般の市民から見た場合、近所の会社の売上げが上がることは、そんなに喜んでもらえることでもありません。むしろ、会社があることで車の往来が増えて道路が混む、騒音などの環境悪化など、デメリットもありま

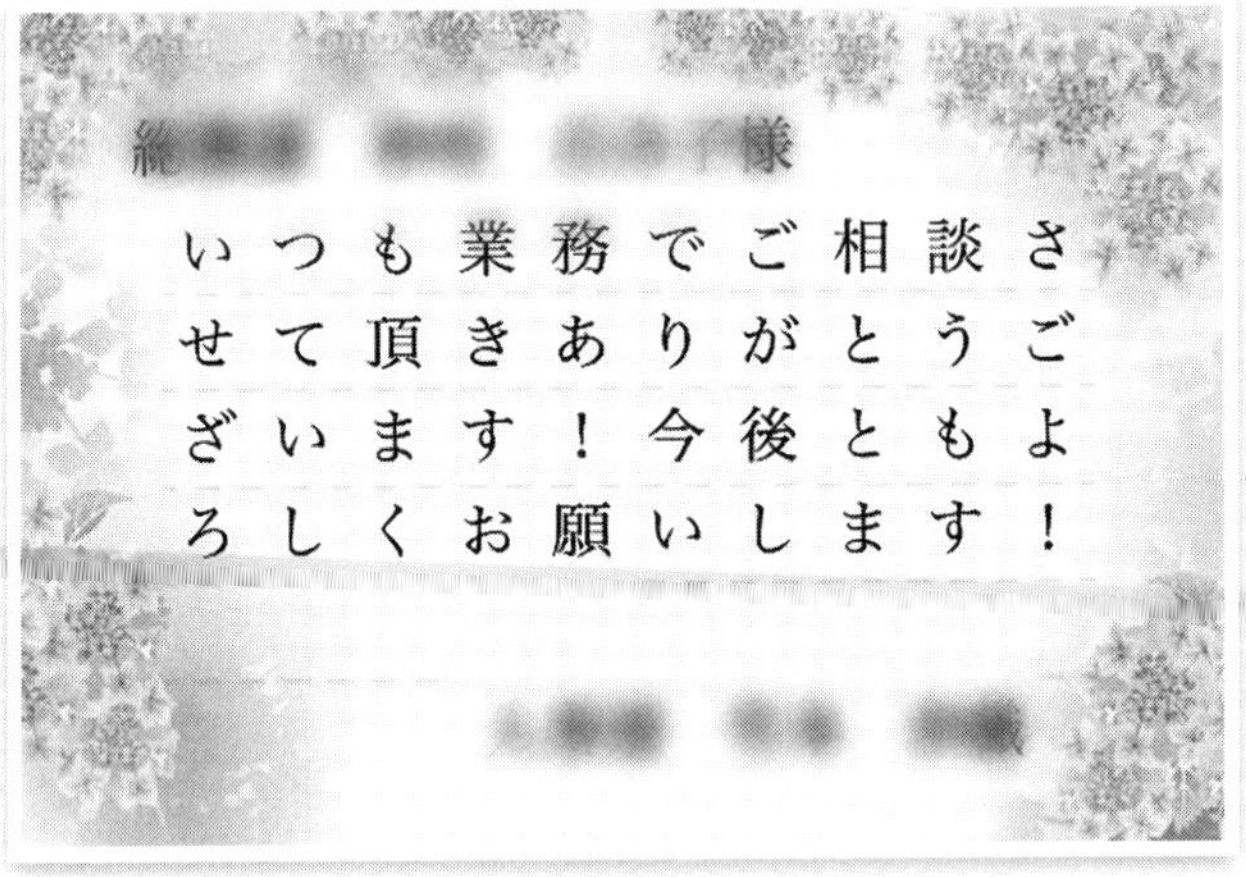
いつも業務でご相談させて頂きありがとうございます！今後ともよろしくお願いします！

感謝の気持ちをカードに書いて伝え合う「ありがとうカード」。周囲のおかげに気づき、感謝に報いようという考え方と行動が「三方よし」にもつながる

す。

それよりもむしろ地元企業で働いている社員が、地域社会にかかわって学校のＰＴＡ活動や町内会活動をお世話して、地域から頼られる人間になっていくことが企業の地域貢献だと私は思うのです。さらに、その彼らが家庭環境によい影響を及ぼし、子育てを通して将来へもつながり、国づくりに発展していくわけです。

まさに人づくりこそ国家百年の計です。

私はそれを企業が担っている大きな使命でもあると受け止めています。

エンゲージメントを高める

人が集まれば組織となり、それぞれ特有の社風ができます。では、その社風をよくするためには何が必要なのでしょうか。私は従業員との「エンゲージメント」を高めることと考えています。

エンゲージメントとは、企業と従業員の相互理解や相思相愛などと言われます。従業員の視点からいえば「この会社のためなら」「この仲間のためなら」という自発的な貢献意欲です。近い考えに「ES（従業員満足）」がありますが、これはどちらかといえば制度や仕組みの話でしょう。よくESなくしてCS（顧客満足）はないと言われます。私は、この二つの関連性を認めながらも、別物として切り分ける必要があると思います。

例えば、従業員の立場から見た場合、「社長はCSや業績アップのために、自分たちにいろいろしてくれているのだ」と思ったら、物的待遇に満足をすることはあっても、「この社長のためなら、この人のためなら、この仲間のためなら」というモチベーションにつながりません。そういう意欲や思いがないと、社風はよくならないのです。

このエンゲージメントを高めるために、まず取り組むべきは、社長である私自身の実践です。感謝の気持ちを同僚や上司に伝える「ありがとうカード」の取り組みを始めて十年になりますが、一番に書くべきは私だと思っています。

従業員に対して責める気持ちや恨《うら》む心があったら「ありがとうカード」は書けません。相手の顔を思い浮かべて、心から〝ありがたい〟と思えるようになると、心が温かくなってきます。そういう温かさがエンゲージメントであり、社風づくりにつながってくるのです。

以前の私はこうした実践が足りなかったがために、エンゲージメントを高められず、よき社風がつくれなかったのです。

調子に乗っていた三十代のころ、私は社員を「できる社員」と「できない社員」に勝手に分類し、「できない社員は早く辞めてもらってかまわない」と本気で思っていました。一方、私自身が「できる経営者」だったかというと、とんでもない話です。

そんなふうに人間を「できる・できない」の基準で区別し、態度を変えていた私に愛想をつかすように、できる店長、できる社員から先に会社を辞めていきました。

今はもちろん、そんな基準で社員を区別することはしません。人を見る目、考

企業内認可保育園「りんくう保育園」。出産後も女性社員が生き生きと働けるように設立。社員の心の安全基地となるような、働きやすい職場環境が、イノベーションの源泉となる

える基準がそれだけ当時と今では変わったということでしょう。

経営者の判断の基準とは

物事にはすべて本末がある、私は常々そう考えています。

本というのは「あり方」です。信条や社是、理念です。一方の末というのは「やり方」。戦略、戦術、方針です。どちらも大切ですが、やはり「何のために」という「あり方」がより重要です。目的地が確立されずに、いくら運転技術や車の性能を高めても、いつか道に迷ってしまう。本末転倒です。

では、どうすれば「あり方」を確かなものにできるかと言えば、これはもう自問自答しながら見つけていくしかないでしょう。その間には失敗したり葛藤することもあるはずです。しかし、人は痛い目を見ないと、自分と真剣に向き合おうとはしないもの。私もそうでした。

あの失敗や挫折があったからこそ、現在の八天堂を貫く「事業の本は人なり」

という考え方に行く着くことができました。

私はかつて人の成長より事業の拡大を優先させて、失敗しました。

今はその反省を生かし、新たな事業を検討するとき、チームの人の力や体制が三十点、四十点で足りてないと感じたときは、絶対に無理をしません。幹部には「そういうときは絶対に踏み出すな。肝に銘じてくれ」と常々言っています。事業を大きくすることが目的ではなく、社員の成長に重きを置いて判断してほしいからです。

そういう価値観が社内に浸透してきた効果か、最近は目の前にチャンスがあると思った場合でも焦ったり無理をせず、リソースが足りないと思えば現場から「社長、他の部署から人材を動かしてもらえませんか」「中途採用をお願いしたいです」などという声が自然と挙がるようになりました。「事業の本は人なり」という判断基準が社内に浸透してきたのを実感しています。

コミュニケーションを高める仕組みづくり

「神は乗り越えられない試練を与えない」

そう言われます。時に人は試練につぶされそうになる場合があります。職場の場合、試練を与えるのは上司ですから、日ごろ、上司は部下と寄り添っていなければなりません。寄り添う人間関係は信頼がないと成立しません。昔はかなり厳しいことを与えて、這《は》い上がってこいという指導もあったと思いますが、現在では**社員とのコミットメント（約束・公約）が必要です。**例えば、今、四十センチ飛べる能力のある人間に、五十センチを飛ぶ目標を与えることが適切なのか、よく考えねばなりません。

部長の下に課長がいます。部長は課長の負荷や、スキルとマインドはだいたいわかりますが、それだけでは信頼できる人間関係は成立しません。

成立させるための方法の一つが〝会食〟です。腹を満たすだけの飲み会ではありません。会話を通じて互いの人間関係をつくっていく場としての会食です。コロナ禍になるまでは、一年三百六十五日の八割は、社員と一緒に食事をしていました。こういうと、他の経営者にはたいへん驚かれます。

また、会社の幹部や大切なポジションの社員とは、毎日のように話し合っています。特に企業経営を通して何を実現していくのかという価値観についての議論です。**価値感を共有できない人間は幹部にしません。**

社内の定期的な食事会は、期別での集まり、部署ごとの食事会、月一回の社員全員による誕生会。大型バスで慰労に出かけることもよくありました。プライベートと会社の時間を分けている会社もありますから、これらがよいのか悪いのか、それは会社によって違うと思います。

コロナ禍になって社員同士のコミュニケーションは、Ｗｅｂ会議サービスを主体にしていますが、盛り上がりに欠けます。確かに、ビジネス上の商談は全く問題がありません。しかし、人間関係の距離を縮めようとする懇親会は、対面で行うほうが五倍から十倍の価値があると実感しています。社内のコミュニケーションを高めることは大きな効果を生み出してくれます。

年を追うごとにビジネスのスピード感は間違いなく速くなっています。これまでだったら幹部に重要な事柄を周知連絡する場合、どうしても一つの会議室に集まらなければなりませんでした。東京、九州、大阪と離れていると、集まるまでかなり時間がかかります。今ではネットを利用して離れていても一度に全員に連絡することができ、互いに打ち合わせをすることもできます。デジタル化の効果です。

特にクレーム対応の場合、いかに早く情報を伝達して対処するのか、それは死活問題になりかねません。反対に、様々な情報から大きなビジネスチャンスをつかまえられるという可能性もあります。DX（デジタル・トランスフォーメーション）は仕事の重要なツールに間違いありません。

全社員での毎月の誕生日会。絆を強める行事として、東京方面の社員も交通費をかけて三原まで呼び寄せる（コロナ禍中は見合わせ）

中小企業が生き残るために必要なこと

コロナ禍で危機感を強くした企業ほどＤＸの取り組みにも積極的です。それはコロナ禍によって加速された面もありますが、業績が伸びている企業は、それ以前から取り入れようという動きがありました。今回でも危機をチャンスに変えようとする姿勢が顕著です。

変わろうとしない、変えようとしない経営者は、コロナ禍においてもやはり変わっていません。苦しんでいる企業は時代や周りのせいにしているところがあります。確かに、どうしても外的要因が業績を大きく左右する業種もあります。例えば、旅行関連、航空会社などはやむを得ないでしょう。企業の努力だけでどうなるものではありません。駅でお土産を扱う業界などの「駅ナカビジネス」も苦労していますが、ピンチをチャンスに変えようとしている企業もあります。

地方から東京への移動が制限されてしまい、土産《みやげ》業界は大打撃です。そのような中でも卸《おろし》に力を入れて新商品で立て直しを図っている企業、Eコマースに力を入れている企業もあります。

八天堂の売上げは、お客様がご自身で楽しむために買う自分買いが四割、お土産が六割です。細かく言うと、お土産には「手土産」と、旅行などの帰りに買う「お土産」があります。手土産は買った自分と家族、職場の人が一緒に食べる自家消費と言えます。統計を取ってみると、私どもの売上げは土産でも手土産が六割ぐらいですから、お土産の需要の低下に比べれば打撃は少ないほうでした。

多くの「駅ナカ」企業では、コロナ前を一〇とすれば、一か二に激減しています。私どもはありがたいことに、二〇二一年五月末決算は過去最高の売上げとなりました。コロナ禍の前から、卸やEコマースなどの種まきを行ってきた、その実りです。

さらにロッテさん、ローソンさんなどとコラボレーションができたことで、「巣ごもり需要」という部分で活路を見いだし、売上げを伸ばすことができました。コロナが幸いしたと言うと不謹慎ですが、社会は間違いなくこれまでとは違ったモードに入ったと感じています。

コロナ禍という新しい事態が新しい方向へとビジネスを加速させています。危機は、起きてから慌てても対応できません。日ごろから危機管理に備える態度、つまり、何か新しい種まきをしておくことが必要でしょう。それは「危機感を持つ」という言葉で表されます。

八天堂を創業した私の祖父・香も新しいものが好きで、今では当たり前となった「いちご大福」のように、大福の中にいろいろな素材を詰めていたようです。そういうDNAが、私に受け継がれているのかもしれません。

「ぜひ、引き受けてください」

現在（二〇二一年）、私は三原商工会議所の会頭を務めています。会員企業はおよそ千五百社あり、年商百億円以上の会社も十数社あります。

当初、私は会頭を引き受けるつもりはありませんでした。副会頭ならまだしも、自分に務まるのかという思いがあったからです。決断を後押してくれたのは、渋沢栄一でした。昔から渋沢栄一の「論語と算盤」の考え方に興味を持ち、よく本を読んでいたのです。資料館にも行ったり、家族にもよく渋沢栄一の話をしていました。

ご存じのとおり、渋沢は晩年、慈善事業や教育事業に尽力し、商工会議所もつくっています。渋沢栄一がどういう思いで商工会議所をつくったのか。事跡を学び、その思いにふれると、微力ながら自分も会頭としてその発展に役立ちたいという思いが募りました。渋沢栄一の生き方や考え方が、私の心の琴線に触れたのです。

会頭を引き受けてよいかどうか。八天堂の幹部の意見を聞いたところ、答えは「ぜひ、引き受けてください」でした。その答えを期待していたわけではないものの、うれしくなりました。日ごろ、地域貢献の大切さを唱えていましたが、それを言葉だけでなく、真心で受け止めてくれていたのを感じたからです。

もしも社内がガタガタだったなら「社員、地域貢献どころではありませんよ。

もっとしっかり自社経営をやってください」と幹部は反対したでしょう。タイミングがよかったと思います。人が育ち、少しずつ組織が出来上がり、方針やビジョンも浸透が進んでいました。

自社の経営が〝私〟の仕事だとすると、会頭職は〝公〟の仕事です。請われれば、会員企業さんの相談に乗ったり、若い経営者の育成もしていかなければなりません。

経験してみてわかったことは、想定以上に「経営理念」のない企業が多いということ。それはつまり「何のために」の〝あり方〟が確立されずにいるということです。二〇二一年時点で日本企業のおよそ六割が赤字法人、つまり法人税を納めていません。そうした企業の特徴の一つに、経営理念が確立されていないことが挙げられています。

数人でやっている会社にも経営理念が必要なのか？　という声もあるでしょう。私は必要だと思います。

経営理念とは、自社の価値観を世の中に示すメッセージであり、社内に対しては、社員の心や意識を一つにするためのものなのです。つまり、経営理念があることによって業務の流れがバラバラにならず、進むべき方向性が合って、効率が高まるのです。小さい会社でも、いえ小さいからこそ大勢に流されないよう、確固とした座標軸が必要です。

とはいえ、上から押し付けるように経営理念の確立を訴えても、うまくはいきません。ここでも会員企業にもよく、地域全体にもよく、その未来にもよい「三方よし」の考え方が欠かせません。

時間はかかりますが、三原で育てられた八天堂としての恩返しと思って、挑戦していきたいと思います。

森光社長の誕生日には毎年、社員からサプライズでプレゼントが用意される。2021 年に贈られた社員１人ひとりの顔写真とメッセージ入りのカレンダー

第5章

「三方よし」の事業承継

外部環境と事業承継

八天堂の名称は、天に伸びていく末広がりの「八」と「発展（はってん）」に通じると、創業者の祖父からよく聞かされていました。八天堂は祖父の出身地にあるお堂の名前で、名前に故郷への思いを込めたのです。私は「末広がり」に願いを込めたいと思います。この名称を付けた創業者の祖父に感謝しています。

祖父は地元菓子組合の初代理事長に就き、商工会議所の世話役や議員なども務めていました。私が幼かったとき、多くの人が自宅に相談に来ていたことをよく覚えています。祖父は「**人を大切にしろ、信用が一番だから**」と言って、人とのつながりを大切にしていました。

昭和三十年代になると、洋菓子が地方にも入ってきました。シュークリームが広がり始めたのは昭和三十三年ころと聞いています。八天堂でも昭和三十年代後半に製造を始めていました。私が生まれたころです。

私が幼いころ、経営は父の義文に代わっていました。父が和菓子店を継いだとき、和菓子の販売をすべてやめたわけではなく、和菓子が三割、洋菓子が七割になっていたようです。祖父が時々、和菓子を作っていたのを覚えています。和菓子だけでは店の経営が厳しく、洋菓子を取り入れて持ち堪えたと聞いています。これは八天堂の最初の業態変化です。昭和三十年代、洋菓子を取り入れるのは当時として先進的で、三原市でいちばん早かったと思います。

父と祖父との関係は、私と父のそれとは違ってたいへん仲のよい関係でした。父は心の底から祖父を尊敬していましたから、新しい試みをするにあたり、祖父の反対があれば断念していたでしょう。反対に、祖父は父の取り組みに一〇〇パーセント賛成し、具体的に支援したでしょう。事業承継をスムーズに実現するには、当たり前ですが、二人のよき関係性が不可欠です。

私が業態変化させてパン屋をすることに父は賛成でした。そのままの洋菓子店では衰退するだろうと考えていたからです。

父も職人ですから、いろいろなことを取り入れていました。今ではイチゴ大福は当たり前ですが、三原市では八天堂がいちばん早かったようです。和菓子にフルーツを乗せることは、洋菓子の発想です。また、長崎カステラもいち早く取り入れていました。昭和三十年代はよかったのですが、四十年代半ばからは本格的に洋菓子を修業した職人の洋菓子店が進出。八天堂の経営は徐々に厳しさを増していきました。私が郷里に戻ったころは、かなり経営に苦しんでいました。

事業規模の大小で言えば、父は小さなことしかできませんでしたが、父も祖父と同じで人を大切にしていました。人の悪口を言っているのを聞いたことがありません。商売をするにおいて、いろいろなことがあったと思いますが、すべてプラス発想で乗り越えてきたようです。「人を大切にする」という信条は祖父から父へと継承されました。私は、これを「人づくり」として発展継承させたいと思います。

経営者はいつか事業を譲るときがくる

祖父から父、父から私、八天堂の事業承継の際、課題はいろいろとありましたが、今度は私から次の世代への話になってきます。私はバトンを渡された立場を経験していますが、今度はバトンを渡す人間にならなければなりません。

私には娘が一人おります。事業を継ぐ意思があるかどうかわかりませんが、もしも継いだ場合、どのような方法がいいのか考えています。仮に子供が継ぐにしても、しばらくはプロパー(生え抜き社員)の人間に経営を担当してもらいたいと思います。その場合でも、どのような育成の仕方がよいのか。

世の中には後継ぎ不在で事業承継ができない、よい技術を持っていてもM&A(合併と買収)をしなければならない、さらには廃業しなければならない企業も多くあります。

人間はいつ死ぬかわかりません。経営者はその危機感を常に持って、経営に当たる必要があるでしょう。七十歳、八十歳、さらに終身現役の経営者もいます。その方の代で事業を終わるのならまだしも、バトンタッチをしなければ経営は持続できません。イノベーションの発想力、独創力は若さから出てくるものであり、時代を変えるのは若者なのです。われわれのような食品関係や食文化に関するものは特にそうです。準備は早い段階からするのに越したことはありません。

事業承継の準備は、社長として基盤をつくり、自分の後のレールができたならば、取り掛かるのもよいと思います。

その際、持ち株の問題もありますが、やはりブレーンをどう考えるかがいちばん大切です。つまり、社長にとっての右腕の問題です。事業承継は、社長のポストだけを考えればよいという問題ではありません。私は右腕の問題でたいへん困っている経営者を多く見聞きしました。例えば、社長になったけれども、先代の社長に仕えた番頭さんが自分の右腕なので非常にやりにくいという声を多く聞いています。この問題は、譲り渡す先代社長の課題でもあるのではないでしょうか。次の組織体制は次の社長と話し合い、次の社長の意見を尊重して、右腕を据えるべきだと思います。

ナンバーツーは、トップとは違うタイプの人材がよいでしょう。例えば、戦略的思考を説くタイプと人生を説くタイプというように。もし、同じタイプが二人いたら大変です。

私は突っ走るタイプなので、右腕には「少し待ってください、このようなリスクがあります。こうなった場合は困ります」と言ってほしいのです。もちろん行くと決まったなら、前に進むための助言がほしいのです。

大事なことは、基本的なベクトルが合っているということ。トップとナンバーツーのベクトルが違っていたら、組織は崩壊します。価値観という基本的なベクトルは合っていなければなりません。ベクトルの方向が合ってタイプが違う、これは受け持つ場所が違うということ。同じだったら意味がありません。トップが苦手なところをナンバーツーが引き受ける。さらに、トップに言わせてはいけないことをナンバーツーが言えるということだと思います。

心の底では、お互いに認め合い、尊敬し合う関係が理想でしょう。信頼関係がない是々非々の関係は避けるべきです。もし中小企業のナンバーツーがイエスマンになれば、会社は成長できる可能性を失いかねません。

経営者に必要な死生観

各々の部署リーダーを育成することは可能ですが、経営陣や経営者といったリーダーを一から育成することは簡単ではありません。大手ではヘッドハントも可能でしょうが、中小企業では無理が多いです。**社員の中からリーダーの資質を持つ者を「ピックアップ」すべきでしょう。**世間の企業を見渡しても、やみくもに育成することだけを考えるのは限界があるようです。

リーダーは持って生まれた資質が必要であり、そこに育成の成果があって、経営者、経営陣になれるのだろうと思います。もちろん本人になりたいという意思があることも欠かせません。

三年から五年、リーダーとして育成していくと資質があるのかどうかが見えてきます。十年間、寝食を共にするくらい、飲みながら食べながら本人を見続けてきて、資質を持っていることが見つけられるのです。中には経営者の資質がない人間もいます。それは悪いことではなく、経営者にならないほうが本人や企業にもよいのです。

さらに、経営陣の中からトップを選ぶ必要が出てきます。その場合、資質とはまた違うものが必要でしょう。**それは「死生観」です。自分がすべてを受け止め、受け入れ、家族を含めてでもやりぬく覚悟のようなものがトップには必要です。**

社長と副社長、専務では背負うものが違います。もし企業に借金があって、個人保証が必要な場合、人生イコール仕事になります。連帯保証はあまりにも過酷です。私は個人保証を必ずはずしてもらうようにしていますが、引き受けなければならないこともあります。経営形態をホールディングスに変更して、所有と事業は分けるという考え方がよいのかもしれません。これは事業継承の話にもつながっていきます。

事業継承では、株の所有をどうするかが問題になり、もめ事のもとになります。

オーナーの一族ではない人間が株を持った場合、人間関係や本業以外でトラブルになりがちです。相続や世代交代、事業継承の際、株を持つ人間から会社に買い取りを求められたり、株主総会を一度も開催したことがないことを追及されたというケースをよく聞きます。

関係のないところで事業がもめたりしないよう、そこは後継者が整理してスムーズに経営に専念できるような体制を整え、いつでもバトンタッチができるようにするべきでしょう。私も今、準備している段階です。

話は戻りますが、わが社では将来のリーダーをピックアップする条件として、**「よいことはみんなのおかげ、悪いことは自分の責任」と言える人間に置いています。**それは一言で言えば「人間性」の問題です。むろん、自社の価値観を理解していなければなりませんが。もっと簡潔に言えば、「人が好きかどうか」ということでしょう。企業はチーム・組織で運営されているので、リーダーが「人が好きで、かつ人に好かれるか」ということによって、組織は左右されます。みんなから好かれていなくて、人望がないという人間は、頭がよくても経営者に就くのは難しいでしょう。

人のやる気は待遇と環境面をよくすることで、引き出すことが可能です。しかし、企業の業績が悪くなったとき、環境面も悪くなります。そうなったとき、給与や待遇面だけでは人は付いてきません。厳しくなると持ち堪えられないのです。この経営者、この人に付いていきたいというくらいの人間性がリーダーには必要なのです。そのような人望をリーダーが持っているかどうか。それが見極める要素の一つです。人望がない人間が上に就いたらお互いに不幸です。

また、部下だけでなく、上司、同僚からも慕われていることも非常に大きな要因です。優柔不断であったり、すぐ決断できない人間もリーダーとしては難しいでしょう。

後継者育成は人材育成

私は事業承継を考えた場合、ナンバーワンとナンバーツー二人を同時に考えたいと思います。私の会社の場合でも、見込みを立てている二人がしっかりと手を携えて経営すれば、少々のことは大丈夫だというイメージができています。

創業者の社長の跡を継ぐことは、特に企業が大きくなればなるほど背負うものも大きく、大変です。後継者の選定は期限だけでなく、計画性が欠かせません。社内での人材育成と同じく、これも最たる投資です。この効果は莫大ですが、反対に間違ったら莫大な損失となるでしょう。**そのような意味では、非常に大きな間接的投資です。**

親子間の事業承継を考える際、子供が嫌がるのは、子だけでなく親本人にも原因がある場合がほとんどではないでしょうか。親孝行をしない子供は、子供側に原因があると考えがちですが、親にも原因があるのと同じでしょう。

どのような親であれ、親を思う気持ちが子供を育てます。あまり芳しくない親だったり、とんでもない親であっても、子供は劇的に変わる場合があります。厳しい環境であっても、子供は受け止め方や考え方を変え、行動を変えていけるのです。簡単ではありませんが、少々のことではびくともしないくらいの大人物になる可能性があり、親はあまり心配しなくてよいのではないでしょうか。

経営者が子供にトップの座を譲らないという話もあります。私はそのような経営者に「本当に勉強しているのですか？」と言いたいのです。物事には必ず新陳代謝、進化と退化があるもの。社会には変化が生じます。変化はやはり若者がつくっていくわけで、イノベーションは若者にしか起こせません。

今、ビジネスではいろいろな仕組みや枠組みができ、会長という立場や二人代表取締役もあります。社長にこだわる必要はないでしょう。二人代表取締役として三年から五年ほど後見役を務め、ソフトランディングを見届けるのが理想です。

行動こそ真実

経営者として心身ともに最も充実しているのは、やはり四十代から五十代ではないでしょうか。年齢ありきではありませんが、人間も生物ですから六十歳になると、どうしても体力的に落ちてきます。私の場合は六十五歳になったとき、後継者が四十歳ですから、そのタイミングだと考えています。四十歳代は体力と若さだけでなく、若い世代の感性を持っていて、柔軟性もあります。多くのことをやり遂げられる年齢です。

花は咲いたらいずれ散るように、人生も終わりを迎えます。いずれ自分も退くときがくることを、頭の中に入れておかなければなりません。少し厳しい言葉ですが、未練たらしく社長の椅子にしがみついていてはダメだと思います。経営者として事業承継は早い段階から考えておくことが重要でしょう。地位にこだわると、次の世代の迷惑になります。若い世代を信じて任せないと、企業の新陳代謝は見込めません。

事業承継が経営者人生の終わりと考えることはありません。自分も人生イコール仕事だったので、そのような生き方については痛いほどわかります。

私は後継者に譲ったら、別会社をつくろうと考えています。六十五歳になれば会長職に就き、七十歳になれば実行したい〝夢〟もあります。事業を引き渡したならば次の楽しみ、第三の人生というか、最終幕が待っていてくれるように思うのです。

いつもお米を納めてくださる取引先の会長は、八十歳目前ながら仕事が大好き。「米粉や米を扱う仕事だけは、自分が死ぬまで仕切らせてほしい」。そう言って、楽しそうに仕事をされています。

事業承継も多様化し、退いても終わりではなく、寂しくないやり方もあります。人生百年と言われる時代、第一線で頑張るのは難しいと思いますが、知恵の使い方でいろいろなことができる時代になりました。次の楽しみがあれば、よいバトンタッチができるし、いい意味で諦めることができるのではないでしょうか。

私には、やってみたいことが二つあります。

一つは原点に戻って、普通のパン屋をしてみたい。もう一つは、蕎麦《そば》かうどんを麺棒で打つ趣味を生かして、社員用の蕎麦茶屋のようなものをやってみたいのです。むろん、経営するにしても一店舗ずつ、オーナーシェフのようなものです。あくまで週二回、一日三時間か四時間でいいので、現場に立ちたいのです。自分の夢ですし、体を動かすので、健康にもいいと思います。

三十七歳で会社が倒産しそうになった際、パン職人としてパンを作るのはこれが最後になるかもしれない、あるいは他社に雇われてパンが作れるのかなどと、複雑な気持ちだったことを思い出します。それから三十年間で一回りして、今度は自分が本当に好きなパン作りをしたいという気持ちです。

忙しくて将来のことまで考えられないという経営者の声をよく耳にします。でも、それは言い訳ではないでしょうか。本当に忙しく働きながら、どこにそのような時間があるのだろうと思うほど、勉強している経営者と何人も出会いました。一回きりの人生、それを直視しないでどうするのでしょうか。それこそ行き当たりばったりの人生になります。

人生はすぐに終わってしまいます。

何のために生きていくのか、何のために仕事をするのか。という人生上の問いは、経営理念につながります。この経営理念から始まり、経営ビジョンから経営戦略、そして組織の構築、次に予算の決定になります。経営や人生には何においても計画が必要です。

「夢なき者に理想なし、理想なき者に計画なし、計画なき者に実行なし、実行なき者に成功なし。故に、夢なき者に成功なし」（吉田松陰）

この名言にあるように、夢がないから理想を持ってないし、夢がないから計画を立てないのです。ただ人生をよくしたいという思いだけでは中途半端。自分の人生は一回限りです。計画がないともったいないのです。忙しい、お金がないというのは言い訳ではないでしょうか。お金がないならないなりに、時間がなかったら、ないなりにできます。結局はやるか、やらないかです。

私は「行動こそ真実」という言葉が好きです。思いだけでは思いで終わってしまいます。実行の中にこそ真実があるのです。実行こそ、その人の真実です。「新しい事業をやりたい」「人に喜んでもらいたい」と言うだけの人は経営者になってはいけないのです。

一度きりの人生、何に命を使うのか

私は意識して「死生観」という言葉をよく使います。

人生には限りがあり、有限ではありません。しかも一度限りです。さらにいつ終わるかもわからない。「今あるこの命には、必ず限りがある」という自覚があってこそ、価値あることに命を使おうという〝使命感〟を持つことができるのではないでしょうか。

私が敬愛する多摩大学名誉教授の田坂広志氏は「死生観を持つと人生の密度が変わる」と指摘されています。私自身、死を意識するほど追い詰められ、〝何のために生きるのか〟を自問自答することによって、人生の密度が変わりました。

今日という一日が人生最後の日になるかもしれない。そう思えば、当たり前のようないつもの仕事、いつもの出会いのすべてが「一期一会」的な感覚になっていきます。

「人生今日がはじまり、ここから挑戦」

私はこの言葉を心に刻み、現状に慢心せず、使命に向かって自己革新する意欲を新たにしています。そうすることで何気ない日常、小さな変化の中にも発見ができ、素直に感動できるようになるのです。

そんな密度の濃い人生を生きてほしいという願いも込め、私は会社の幹部やリーダークラスに対して「死生観」を持つことの重要性を繰り返し伝えています。

リーダーは常に周囲から「生きる姿勢」を問われ続けます。自分の人生と真剣に向き合おうとしないリーダーの言葉に、耳を傾けようとする人はいません。死生観を持って生きるリーダーの姿勢とは何かを、トップである私自身が後ろ姿を通じて後進に伝えていきたいと思っています。

戦国武将・毛利元就の三男にして、三原城を築いた小早川隆景は「人生は夢の間なれば」という言葉を遺しました。

地元・三原が誇る偉人の背中にならい、少しでも生きた証を残せる生き方をしていこうと幹部には伝えています。具体的には次の三つです。

一つ目は「作品」です。会社にとっての作品とは何か。自分たちにとっての作品とは何かを常に考えてほしい。

二つ目は「人」です。「あなたと出会えてよかったと言ってくれる人」を一人でも自分の周りに増やしていこう。

そして三つ目は「志」です。自己実現のために追うのが夢だとしたら、志とは、他の人のために生きる公の夢です。歴史に名を遺した偉人はみな、大きな〝志〟を持っていました。ただ、これは知識として学べるものではありません。持っている人と出会い、その魂に触れ、感化されることによって、自分の心の中に育まれていきます。

幕末の志士こと吉田松陰や坂本龍馬のもとには、多くの若者が集いました。この若者たちのほとんどが次男や三男だったそうです。つまり、家の跡を継げる運命になく、自分は何のために、どう生きていくのかと自分探しをしていた普通の若者でした。それが吉田松陰や坂本龍馬の志に触れ、感化され、時代を変革する志士となっていったのです。

ぜひ八天堂の社員には、そうした志ある人に触れて、自分の志を確かなものにしてほしいですし、何より私が感化を与えられるリーダーでなければならないと思っています。

人生を終えようとするとき、この三つを残したと言われる人間になろう。八天堂の次の世代を担う社員とのコミットメント（約束）です。

言葉が人生をつくる

こうして本を書いていると、あらためて自分がいかに「人との出会い」に影響を受け、「言葉との出会い」に人生を左右されてきたかを実感します。

私は小さいころから人一倍、言葉に敏感というか、こだわるほうでした。特に全寮制の高校で過ごした三年間に出会った二つの言葉は、今も私の人生の指針となっています。

その一つは中国古典『孟子』にある**「天爵《てんしゃく》を修《おさ》めて人爵《じんしゃく》之《これ》に従う」**です。

正直言って高校生のときはまだ、この言葉のよさにピンと来ていませんでした。その後、たくさんの失敗と反省を経て「自分は何のために生きるべきか」を自問したとき、十代で出会ったこの言葉が、私の歩むべき人生の道筋を照らしてくれたのです。

「天爵」とは天からいただく爵位、つまり自然と備わる品性や人格、気品のこと。それに対し「人爵」は人や社会から与えられる地位や名誉を指します。

自分の生きる目的もよく考えず、糸の切れた凧のように事業拡大にひた走っていたあのころ、私は人から認められ称賛されることで、自分の存在価値を確認しようとしていたのかもしれません。

しかしその結果、廃業の危機に陥り、周囲の信頼を失って孤立し、自分が生きる意味を見失いました。

孟子は言います。天爵を修めるべく努力していれば、結果として人爵、つまり現実社会での地位、必要な利益、財産も自然に得られるようになるだろう。しかし、多くの人間は人爵を得るために奔走し、肝心の天爵を省みようともしない、と。

では、天爵を修める生き方とは、どんな生き方なのでしょうか。

それは「天から与えられた使命を果たす生き方」だと思っています。

その使命が何かは、人によって違うでしょう。むしろ、この二度とない人生の貴重な命を何に使えばいいか。その〝使命〟に気づくことができたときから、本当の人生が始まるといってもいいのかもしれません。

自分の夢、自己実現に生きるのも大切なことです。しかし、〝私〟のためだけに生きる人を周りは応援してはくれません。独りよがりの人生では人爵さえも得られないのです。

誰《た》がために生きる〝公〟の志があってこそ、生きがいある人生、働きがいある仕事を手にすることができるのだと、この歳になって実感します。

天から与えられた使命——天命——に生きようと考え方が改まると、とるべき行動が変わってきます。行動が変われば習慣が変わり、習慣が変われば人格が変わる。人格が変われば運命が変わり、そして、人生が変わります。

その過程では、思いがけない試練や困難に何度も見舞われます。くじけそうになることもあるでしょう。しかし、自分には天から与えられた使命があると思えば、その困難に〝意味〟が見いだせます。どんな人との出会いもどんな困難も、自分を成長させる糧《かて》だと思えたら、見える人生の景色が変わります。

高校時代に出会ったもう一つの言葉も「天」に関係します。

「天命に従いて曲《つぶさ》に人事を尽くす」です。

一般的には「人事を尽くして天命を待つ」という言葉が知られています。自分の持っているすべての力を尽くしたら、その結果は天に任せよう。潔いようですが、私はそこに全力を尽くしたという満足感と、後はどうなっても仕方がないというあきらめの気持ちがあるように感じてしまいます。天に任せると言いながら、結局は自分のための努力だったのかという解釈です。

繰り返しこの本でお伝えしてきたとおり、若いときの私がまさにこれです。懸命に努力はしたけれど、幸せにはなれなかったし、人を幸せにすることもできませんでした。

「天爵を修めて人爵之に従う」と「天命に従いて曲に人事を尽くす」。

もし、この二つの言葉に出会えていなかったら、私の人生はもっと違う方向に向かっていたでしょう。その出会いの場となった千葉県柏市にある麗澤高等学校に行くよう強く勧めてくれたのが、父でした。

私が人生を誤らぬよう、気づかぬところで種をまき、芽が出る日を信じて見守り続けてくれた父には、感謝しかありません。

そして母からは、私の全人生を貫く思考の源となる言葉を授かりました。例えば小さいときに転んでケガをすると、母は決まって言いました。

「運がいいね」

道に迷って行方不明になった小学二年生のとき、家に戻った私を抱きしめながら、母はこう言ってくれました。

「お前は本当に運がいい」

口ぐせのように母が言っていた「運がいい」という言葉は、いつしか私の脳裏にすり込まれ、人生の一大事というときに力を与えてくれました。劣等感にさいなまれ、生きる自信がもてなくなったとき、失敗の連続で「もうダメなんじゃないか」とあきらめそうになったとき、母の笑顔とともにこの言葉がふっと浮かび、私に再び立ち上がる勇気を与えてくれたのです。

言葉が人生をつくる。

その大切な言葉を与えてくれた父と母に心からの感謝をささげます。

あとがき

私の人生は、縁なくして語れません。

縁は〝出会い〟という言葉に置き換えてもいいでしょう。

もし親、弟夫婦、そして妻、娘との出会いがなかったら、あの廃業寸前の逆境を乗り越えることなど到底できませんでした。家族だけでなく、最後までついてきてくれた社員、応援してくださったお客様、お取引先……。一つ一つの出会いに支えられて、今があります。

もし、生産者のれん会の黒川社長、上野さんとの出会いがなかったら、「くりーむパン」の全国展開は夢に終わっていたでしょう。八天堂の未来は大きく変わり、現在いる社員と出会えないまま、今日を迎えていたかもしれません。

この歳になって、痛感します。

〝出会い〟が人生を変えるのだと。

かつてパンの店が絶好調だったころ、私は「自分一人の力で生きている」と思い込み、他者や周囲に責めの矛先を向けてばかりいました。いい出会いがたくさんあったはずなのに、感謝の心がないばかりに、その縁に気づかずにいたのです。ムダな出会いなどない、すべてのご縁に意味がある――。数々の逆境のおかげで、今はそう思えるようになりました。

過去を変えることはできない、とよく言われます。確かにそうでしょう。一度進んだ時計の針は巻き戻せません。戻れないとはいえ、人は過去に挑戦することはできる。そう考えて、私は今日まで生きてきました。

うれしい出来事や楽しい思い出は、誰しも振り返りたくなるものです。では、悲しい経験、辛かった記憶などはどうでしょうか。

できればフタをしておきたい、そんな記憶が私にはたくさんあります。しかし、そんな日々も、全部含めて今の私なのです。偽ることはできません。

だとしたら、目を背けるのではなく、その過去の出来事や困難にどんな〝意味〟があったのか、勇気をもって自分と正対し、意味があったと思えるような生き方へとつなげていく。「運命の責めを背負う」と言ったら大げさに聞こえるかもしれませんが、過去に起きたよい事も悪い事もすべて、この身に背負って生きていこうと覚悟を決めたとき、人は過酷な運命にも素直に感謝ができるようになるのかもしれません。

すべての出会いに感謝し、縁ある人の恩に報いて生きていこう。そう誓うことで視野が広がり、いい出会いがどんどんと広がっていきます。

そういうご縁が土壌となって「三方よし」が生まれてくるのでしょう。八天堂の三方よしの経営とは、感謝報恩の経営といえるのかもしれません。

人生は一度かぎり。毎日が本番です。

今この瞬間を、悔いのないよう全力で生きていれば、出会うべきときに、出会うべき人やものに必ず出会えると、私は信じています。

「過去をムダにして生きていませんか」

一日の始まりにそう自分に問いかけ、この信条をかみしめます。

八天堂は社員のために
お品はお客様のために
利益は未来のために

事業にかかわる、すべての人々の幸せだけでなく、まだ見ぬ未来の子や孫の世代から「八天堂がこの世にあってよかった」と思ってもらえる、そんな「未来よし」の三方よし経営をめざして——。
一度かぎりの人生をかけて挑戦していきます。

森光　孝雅

◆著者略歴
森光孝雅（もりみつ・たかまさ）

株式会社八天堂代表取締役。

昭和39年（1964）、広島県生まれ。大学を中退して、21歳からパン職人として神戸の名店「フロインドリーブ」で修業する。平成3年（1991）、広島県三原市で「たかちゃんのぱん屋」を開店する。順調に売上げを伸ばし、広島県内を中心に焼き立てのパン店を13店舗経営する。しかし、無理な拡大によって、倒産危機に陥る。その危機を乗り越え、試行錯誤のすえ、新しいスイーツパン「くりーむパン」を開発する。全国で1日に数万個売れる爆発的な人気を博し、国内だけでなく、海外でも展開している。

MBI（モラロジー・ビジネス・インストラクター）。一般社団法人日本道経会監事。

株式会社八天堂　https:// hattendo.jp

廃業の危機を味わって本気で取り組んだ
人を大切にする三方よし経営

令和3年10月16日　初版第1刷発行
令和3年11月 5 日　第2刷発行

著　者　森光孝雅
発　行　公益財団法人モラロジー道徳教育財団
〒277-8654　千葉県柏市光ヶ丘2-1-1
電話 04-7173-3155
https://www.moralogy.jp
発　売　学校法人廣池学園事業部
〒277-8686　千葉県柏市光ヶ丘2-1-1
電話 04-7173-3158
印　刷　横山印刷株式会社

ISBN 978-4-89639-276-0